W9-CFD-868

КАЧЕСТВЕННЫЕ КНИГИ О ЗДОРОВЬЕ

ВЕСЬ

Мирзакарим НОРБЕКОВ

ОПЫТ ДУРАКА,
ИЛИ КЛЮЧ
К ПРОЗРЕНИЮ

КАК ИЗБАВИТЬСЯ ОТ ОЧКОВ

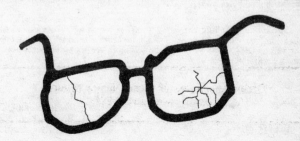

ББК 53.591
Н82

Оформление обложки
А. С. Стукова

Литературный редактор
М. В. Серебрякова

Художник
М. В. Ленская

Норбеков М. С.

Н82   Опыт дурака, или ключ к прозрению. Как избавиться от очков. — СПб.: ИД «ВЕСЬ», 2002. — 316 с., ил.

ISBN 5-94435-094-6

Вы держите в руках необычную книгу. Это не просто пособие по ускоренному обучению восстановлению зрения, не просто трактат по философии для хронического больного-неудачника, а скорее руководство к действию. Здесь раскрывается система, признанная Международной Ассоциацией независимых экспертов как самая эффективная среди известных на 1998 год альтернативных оздоровительных систем.

Трудно определить жанр этой книги. Возможно потому, что такого просто еще нет.

Ее автор, Мирзакарим Норбеков, яркая и сильная личность. Он — воин света, добра, любви, идущий по трудному пути служения — ведет за собой всех тех, чья душа живая, кто испытывает колоссальную внутреннюю тягу к познанию себя.

Совершенно точно, что эта книга никого не оставит равнодушным. Ни одного человека! У кого-то она вызовет неприязнь и агрессию, а кто-то за необычной формой откроет для себя что-то истинное и сокровенное. Одним словом, Вы держите в руках книгу-тест на определение способности читать между строк, видеть глазами сердца и открывать глубинную суть вещей.

Искренне желаем Вам хороших результатов тестирования.

ISBN 5-94435-094-6

Мирзакарим Санакулович Норбеков

Доктор психологии, доктор педагогики, доктор философии в медицине, профессор, действительный член и член-корреспондент ряда российских и зарубежных академий, автор многих запатентованных изобретений и открытий в науке.

Но об этом потом...

ОБ АВТОРЕ

На занятиях Мирзакарим Санакулович Норбеков часто повторяет: «Я обычный человек, такой же, как все. Ничем не лучше и, надеюсь, ничем не хуже вас. Всего, чего я добился в жизни, вы тоже можете достичь, важно только этого захотеть!»

А добился он действительно многого. Сегодня М. С. Норбеков — доктор психологии, доктор педагогики, доктор философии в медицине, профессор, действительный член и член-корреспондент ряда российских и зарубежных академий, автор многих запатентованных изобретений и открытий в науке. Впрочем, все эти звания сам он называет «собачьими регалиями», потому что не ради признания он работает.

Мирзакарим Санакулович — истинный ученый-исследователь.

Круг его интересов очень широкий. Многие удивляются тому, как все это может сочетаться в одном человеке: художник, композитор, писатель, кинорежиссер, артист, спортсмен, тренер, имеющий черный пояс по каратэ второй дан и черный пояс по сам чон до девятый дан. Но самое главное, автор книги — специалист по суфийской медицине и практике, одной из самых древних среди всех существующих.

Суфизм, учение мудрости, относится к классической философской традиции Востока.

Он дал миру алгебру, письменность, от него берут начало три основные религии.

Суфии — глубоко верующие люди. Но своих священных городов, храмов, иерархии, атрибутики у них нет. Храм Бога находится в сердце. Они не отвергают никакую религию, но рассуждать о Боге у них считается фарисейством. Любой может говорить о добре!

Эти люди словам предпочитают действия! Поступками, делами и самой жизнью они сеют любовь и охраняют божественный свет во всем, что их окружает. Суфии являются воинами света, хранителями добра, любви, гармонии, красоты и мудрости.

Внешне они ничем не отличаются от обычных людей, живут привычной жизнью: работают, воспитывают детей, заботятся о близких. Их главное правило: «Сердце — с Богом, а руки — в труде».

Мирзакарим Санакулович — суфий, или странствующий дервиш. Он выбрал путь служения — путь созидания, хранения и передачи знаний по цепочке от учителя к ученику, чтобы мудрость, накопленная тысячелетиями, переходила к людям, готовым ее распознать.

В каждой сфере деятельности Мирзакарим Санакулович имеет своих учеников, которые продолжают его дело. Это дает ему возможность не стоять на месте, а двигаться дальше, осваивать новые рубежи.

Находиться рядом с таким человеком очень непросто. Работая с ним бок о бок, необходимо постоянно совершенствоваться, меняться внутренне, чтобы вместе с ним идти вперед.

Он требовательный, жесткий, решительный, когда речь идет о достижении задуманного. Каждому человеку он дает шанс раскрыть и проявить свою божественную природу. Для Вас, уважаемый читатель, эта возможность предоставляется через книгу.

Древние считали небо символом единства и вечности. Когда люди смотрят на звезды, даже если находятся далеко друг от друга, в этот момент они вместе. Пусть эти страницы будут маленьким символом, объединяющим нас с Вами на пути к здоровью и успеху. И каждый раз, когда Вы будете брать книгу в руки, знайте — мы вместе!

Литературный редактор

ОТ ПИСАКИ,
то есть от меня

У**важаемый читатель!**
Вы держите в руках книгу, которая написана для Вас с целью помочь восстановить зрение, пробудить скрытые в душе способности и реализовать себя как Личность.

Но будьте готовы к тому, что с первых же страниц книга будет Вас шокировать, вызывать бурю отрицательных эмоций: недовольство, недоброжелательность, гнев, обиду, агрессию в адрес автора.

Я готов принять все это на свою голову. Более того, скажу Вам, что если это будет так, то считаю свою задачу выполненной.

Заранее знаю, Вы скажете, что книги так не пишут!!!

То, что допускается в устной речи, недопустимо в печатном издании!!!

Что все эти оскорбления и грубости вульгарны и не делают чести автору!!!

Что существуют определенные границы, нормы этики и морали, которые нельзя переступать ни при каких обстоятельствах, ни под каким видом, и ничто этого оправдать не может!!!

Что все то же самое можно изложить деликатным языком, интеллигентно объяснить, тогда все и так поймут и т. д.

Я бы и сам так думал двадцать с лишним лет назад, когда был зависим от врачей, процедур, лекарств, не реализованным в жизни, человеком без будущего, помышляющим даже о самоубийстве.

Да! Был и такой момент.

А чего Вы хотите от инвалида первой группы, «привязанного» к аппарату по искусственной очистке крови?! Так и так смертник! И это в двадцать-то лет!

Официальная медицина такое заболевание (гломерулонефрит, а тем более на стадии, когда почки уже вообще не функционируют) не лечит. Больного, который доживает свой век, только наблюдают, поддерживают имеющимися в арсенале средствами и смотрят, как он медленно угасает.

Не страшно ли это?!

Я слишком ценю жизнь, чтобы кланяться и расшаркиваться в тот момент, когда просто нет времени, когда нужно быстро помочь Вам освободиться от оков, удерживающих в болоте болезней и нереализованности.

Вы суетитесь, что-то делаете, куда-то постоянно спешите, но даже не позволяете себе на минуточку остановиться и задуматься: «А для чего все это? Куда я иду, и что после меня останется?» Хотя в глубине души, где-то очень глубоко нет-нет да что-то отзовется болью, что как-то все не так...

Но нет времени! Надо, надо постоянно куда-то бежать. Весь вопрос куда и для чего? На самом-то деле мы топчемся на месте, ходим по кругу и сами того не замечаем. А все усилия приходят в исходную точку.

Именно для того, чтобы Вы прекратили это бессмысленное хождение по заколдованному кругу проблем и неудач, я специально выбиваю у Вас почву из-под ног. В этом заключается суть метода.

Это метод ускоренного восстановления зрения через волевое эмоциональное самопринуждение.

Большинство людей — эмоционально зажатые или, точнее сказать, эмоционально кастрированные. Ходят: на работу — с работы, на работу — с работы. Как заводные куклы. А все переживания — внутри. Но если уж что-то прорвется наружу, то, как правило, агрессия.

Моя задача — вытащить наружу это зло, глубоко сидящее и разъедающее Вас изнутри. Вы ходите с этим «нарывом» в душе, а его нужно прорвать и выпустить гной наружу. Очистить! Тогда откроются способности созидать, мечтать и осуществлять задуманное, откроются пути.

Больше всего мне не хочется, чтобы Вы после прочтения книги остались равнодушными и тем более в тех же очках, что и сейчас. Сознательно задуманный в книге перепад эмоций — это «хирургический» инструмент.

Существует простая формула: ХАРАКТЕР И СУДЬБА РАВНЫ БОЛЕЗНИ. Получается, что если у человека геморрой, то характер какой..?

Это проверено временем на практическом опыте, в том числе и личном.

Значит, чтобы изменить к лучшему свое здоровье и жизнь в целом, нужно изменить характер, а просто уговорами этого не добьешься.

Характер переплавляется изнутри при Вашем непосредственном участии. А я только играю роль катализатора. Поэтому приготовьтесь к самым неожиданным и нетрадиционным в печатном издании выпадам в Ваш адрес.

Внутри Вас заключен огромный алмаз. Остается только его найти, дать огранку и расположить так, чтобы он заиграл всеми своими гранями. Тогда Вы сможете взглянуть на все другими глазами, открыть в жизни новые горизонты. А я на этом пути готов служить Вам!

Жизнь не такая плохая и сложная штука. Она такая, какая есть!

С искренним уважением и от всей души,
Мирзакарим Норбеков

ВМЕСТО ПРЕДИСЛОВИЯ,
или гильотину
на свою голову заказывали?

ВНИМАНИЕ!
Важная информация в книге изложена с применением техники ускоренного обучения! Чтобы исключить Ваши возможные обиды в адрес автора, убедительно прошу, познакомьтесь, пожалуйста, с главой «Жаркое из метода ускоренного обучения и способ его употребления!»

В ваших руках малюсенький учебник, и гениальность его заключается в том, что он написан для ленивых. То есть именно для Вас!

Улучшить зрение очень легко и просто. От Вас потребуется капелька желания, чуть-чуть шевеления извилинами и совсем немного труда. Если это Вам не покажется много, то все (!) — цель достигнута! А минимальное количество требуемых для успеха мозгов, по нашим расчетам, 50 граммов, надеюсь, это у Вас есть. (Хотя надежда — еще не факт!)

На сегодняшний день готовится к выпуску такая книга для специалистов, талмуд примерно из 600 страниц. Там все разложено по полочкам: по психофизиологическим и причинно-следственным факторам.

Нужна ли она Вам? Считаю, что нет.

В данный момент задача заключается в том, чтобы восстановить Ваше зрение.

Учебник написан для тех, кто в жизни признает себя ЧЕЛОВЕКОМ с большой буквы и собственными усилиями и трудом стремится улучшить или восстановить зрение.

Поэтому здесь главным козырем будет искренность, а также краткость, ясность, популярность, доступность в изложении, т. е. по-домашнему, местами с использованием в Ваш адрес лексикона сильно выпивших граждан из провинции!

Так что приготовьтесь.

Техника ускоренного обучения предполагает «грубость» и доходчивые объяснения в двух словах на пятистах страницах! Не пугайтесь, чрезмерно грубить не буду. Просто назову Вас тем, кем Вы являетесь, раз столько лет таскаете на спине свои нерешенные проблемы!

Во время работы над книгой была предпринята попытка сделать ее по объему как можно меньше, насколько это возможно. А чтобы угодить очень ленивым, могу сократить еще и свести описание механизма восстановления зрения буквально до трех слов!

Для особо одаренных исключительных лентяев, которым и это покажется много, три слова сокращаю до трех букв и прошу их как можно быстрее скорым поездом уехать туда на постоянное место жительство!!!

Ну ка-а-к?! Что Вы чувствуете, прочитав оскорбления?

Обиделись? Так Вам и надо!

Во-первых, потому что уже давно было пора заняться собой! А во-вторых, спешу обрадовать Вас. Вы попались!

Раз это задело, значит, сами считаете себя тем одаренным лентяем. Человек принимает на свой счет только то, что есть у него внутри.

Если я скажу грубость на неизвестном Вам языке, Вы этого не поймете. Значит, нет оснований искать почву для обиды. Это закон. Так что не повторяйте в дальнейшем таких ошибок!

...Заболел император. Ужаснулась свита, обрадовалась свита. Недуг приковал его к постели. Лекари стали его лечить. День ото дня они пытались что-то сделать, но лучше не становилось!

Проходили дни, проходили месяцы, проходили годы, а он как лежал парализованный, так и лежит. Столько государств он покорил, какие народы поставил на колени! Завоевав полмира, он оказался бессильным перед болезнью. Однажды от беспомощности он пришел в ярость:

— Всем лекарям, которые не смогли меня вылечить, отрубите головы и сложите их на городской стене.

Прошло время. И километры стен побелели от иссушенных черепов ученых мужей. Однажды император позвал своего главного визиря:

— Визирь! Где твои лекари?

— О, мой повелитель! Их больше нет. Вы же сами приказали казнить их.

— Неужели не осталось ни одного?

— Да. Не осталось ни одного достойного Вашего взора врача во всем государстве.

— Так им и надо...

И опять потянулись долгие безрадостные дни. Однажды император снова спросил:

— Визирь, помнишь, ты сказал, что не осталось лекаря, достойного моего взора? Объясни, что это значит.

— Мой повелитель, в нашем государстве остался один-единственный лекарь. Он живет тут неподалеку.

— Он умеет лечить?

— Да, умеет. Я был у него тогда, но он такой невоспитанный, некультурный, он такой грубиян! Как рот откроет, так слышна отборная брань. А недавно он сказал, что знает секрет лечения самого императора.

— Тогда почему ты мне не сказал?!

— Но если я его приведу, Вы, мой повелитель, меня казните за его поведение.

— Обещаю, что не сделаю этого. Приведи его сюда! Через некоторое время визирь привел лекаря.

— Говорят, ты умеешь лечить?

В ответ молчание.

— Почему молчишь? Отвечай! — приказал император.

— Мой повелитель, я запретил ему открывать рот, — сказал визирь.

— Говори, разрешаю! Что? Неужели твоих способностей хватит, чтобы меня вылечить?!

— Не твое собачье дело! Ты можешь усомниться в моих способностях по управлению государством, потому что ты — царь. Но почему ты своим государственным умом лезешь в медицину? Как ты можешь разбираться там? Ты велик в своей работе, но в медицине ты ничем не лучше сапожника.

— Стража!! — яростно заревел император. — Отрубите ему голову... Нет... Сначала посадите на кол, потом облейте кипящим маслом, а потом разрубите на мелкие кусочки.

За всю жизнь никто ни разу не осмелился даже намеком допустить что-то, выходящее за рамки дворцового этикета, и тем более так отвечать самому императору!

Стража схватила лекаря, заломила ему руки и потащила к выходу, а он, глядя через плечо, с издевкой сказал:

— Эй! Я твоя последняя надежда! Ты можешь меня убить, но кроме меня не осталось никого, кто смог бы

тебя вылечить. А я могу сегодня же поставить тебя
на ноги.

Император сразу остыл:

— Визирь! Возврати его.

Лекаря вернули.

— Начинай лечить. Ты сказал, что сегодня же по-
ставишь меня на ноги.

— Но сначала ты должен принять три моих условия,
только после этого я приступлю к лечению.

Подавив очередной приступ ярости в себе, сжав от
злости зубы, император процедил:

— Говори!

— Прикажи, чтобы перед воротами дворца поставили самого быстроного в твоем государстве скакуна и
небольшой мешочек золота...

— Зачем?

— Это подарок, я очень люблю коней.

— Если ты меня вылечишь, я подарю тебе табун из
сорока лошадей, нагруженных мешками с золотом.

— А это потом, потом... Следом отправишь. Второе
мое условие, чтобы во время лечения никого не осталось
во дворце.

— А это еще зачем?!

— Во время лечения тебе может быть больно, ты
будешь кричать, чтобы никто не видел тебя слабым.

— Хорошо. Что еще?

— Третье, чтобы твои слуги под страхом смерти не
приходили на зов и только через час приступили к исполнению твоих приказаний.

— Объясни!

— Они могут помешать мне, и лечение не будет до-
ведено до конца.

Император принял условия лекаря и велел всем уйти
из дворца. Они остались вдвоем.

— Начинай!

— Что начинать, старый ты осел? Кто тебе сказал, что я умею лечить? Ты попался в мою ловушку. У меня есть час времени. Я так давно ждал подходящего момента, чтобы наказать тебя, кровосос ты поганый! У меня есть три давние мечты, три заветных желания. Первое — это плюнуть на твою королевскую морду!

И лекарь от всей души, смачно плюнул императору в лицо. Побелел повелитель от негодования и беспомощности, понимая, в какой ситуации оказался. Он начал шевелить головой, чтобы как-то противостоять такому неслыханному изощренному хамству!

— Ах, ты гнилое бревно, старый вонючий кобель, ты еще шевелишься?! Тьфу на тебя еще раз! Вторая моя мечта была... О-о-о! Как давно я хотел пописать на твою императорскую рожу!

И он начал осуществление второго заветного желания.

— Стража!! Ко мне!! — взревел император, но захлебнулся мочой. Он стал отворачивать голову от струи, начал тянуться плечами, чтобы зубами вцепиться в ноги своего оскорбителя. Стража слышала зов повелителя, но не посмела нарушить его приказание.

— Ах ты, дохлая скотина, — сказал лекарь и пнул его ногой.

Император получил удар и почувствовал боль. Он вдруг вспомнил, что рядом у подушки оружейная стойка. Сейчас он схватит свой кинжал и полоснет по его ногам. Движимый единственным желанием наказать оскорбителя, он начал тянуться к стойке.

— Ты, оказывается, еще можешь шевелиться? — презрительно заметил лекарь. — Третья моя мечта...

Но когда император услышал тре-е-етью мечту этого самозванца, он заревел, как раненый зверь, заскрежетал зубами! Титаническим усилием он сдвинулся с места, сполз с ложа и, упираясь локтями в пол, извиваясь, стал подтягиваться к оружейной стойке...

— Зарублю, — рычал император, — сам, лично разрежу на мелкие кусочки!!!

Поднявшись на ватных ногах, держась за стены, он смог добраться до стойки. Дрожащими руками вытащил меч и когда повернулся назад, никого во дворце не было... Он еле доплелся до крыльца.

Ах, как он пожалел, что попался в ловушку этого подлеца и отдал ему самого быстроногого скакуна. Поняв всю безысходность своего состояния, с трудом подошел к первому попавшемуся коню, попытался подняться в седло. Но силы не те! Силы не те! Он зубами схватился за гриву, подтянулся на слабых руках и сел в седло.

Проснулся дух великого воина, проснулся дух великого повелителя, проснулся дух великого полководца.

— Где он? — закричал император стоящим неподалеку слугам.

Но те, боясь произнести хоть слово, кивком головы указали на дорогу, по которой ускакал беглец.

Император пустился в погоню. С каждой минутой он чувствовал, как сил становится больше и больше. Он выскочил из городских ворот и устремился дальше, пролетая милю за милей.

И вдруг вспомнил: «Боже! Двадцать лет я не сидел в седле! Двадцать лет не видел перед собой гривы коня! Двадцать лет не держал в руках меча! Двадцать лет не ощущал на лице порывов ветра!»

Вдруг он услышал за спиной давно забытые звуки. Топот копыт и восторженные крики приближались. Сотни его полководцев скакали вслед за ним на лошадях, обнажив мечи и крича:

— Да здравствует император!

Когда они доскакали до него, то увидели, что тот валяется в дорожной пыли, дрыгая руками и ногами, еле дыша от безудержного хохота:

— Ах, ты лекарь, твою мать..! Ах, ты сукин сын! Заслужил ты свой караван золота!

Теперь понимаете, что к чему и почему?!

Для того чтобы пробудить Вашу истинную суть повелителя, мобилизовать ее, я плюю на Вас, но Вы не можете сказать, что я на Вас писаю, тем более...

А теперь с неба достаем корону повелителя, созидателя, с размаху напяливаем на голову до самых ушей.

Плечи поправили усилием воли, чтобы с этого момента Вы на жизнь смотрели, как властелин, как творец.

Не обижайтесь на меня. Ведь для того чтобы изменить Ваше настроение, мне легче вызвать у Вас агрессию, чем рассмешить. Моя задача — вывести Вас из состояния равновесия.

Когда на белоснежной рубашке грязное пятно, то Вы первым делом обращаете внимание на него, не так ли? Как-никак подобие тянется к подобию!

Поэтому легче всего вызвать у Вас ощущение обиды. Когда я говорю, что Вы изначально являетесь алмазом, Вы это воспримете так, что я искусственно поднимаю ваше настроение, делаю комплимент и т. д., и Вы будете сомневаться, не верить.

А когда я назову Вас дерьмом собачьим, реагируете мгновенно, и на сомнения у Вас просто не останется времени! Так мы с Вами на минутку достигли нужного состояния!

Что это за состояние? Пусть это останется одним из секретов педагога по ускоренному обучению.

ЖАРКОЕ
из метода
ускоренного обучения
и способ его употребления

Ответьте, пожалуйста, за сколько времени можно выучить иностранный язык?

За год? Два? Может быть, больше?

Отвечаю!

С помощью своих скрытых гениальных способностей Вы за месяц освоите даже язык пингвинов! Весь вопрос в том, как открыть и запустить эти способности?

Этим как раз мы с Вами и будем заниматься.

Учебник разработан именно с учетом приемов ускоренного обучения для того, чтобы читатель легко и навсегда усвоил и держал под жестким контролем все ключевые моменты системы, правильно и с пользой для себя применил и хорошо закрепил нужную информацию.

Так что, когда Вам встретятся грубые слова и крепкие выражения (а они уже встретились!), несуразные или шокирующие Вас вещи, знайте — это специально!

Да-да, я специально убираю этику и называю все вещи своими именами!

Если желаете, вот Вам первое домашнее задание, которое Вы должны сделать обязательно, если, конечно, у Вас нет чувства юмора.

Постарайтесь в деталях вспомнить каждого человека, кого видели вчера, в машине, на улице — везде. Во что были эти люди одеты, какого цвета у них глаза, какие волосы, о чем они говорили и т. п.

Уверяю, Ваша дырявая память оправдает себя на все сто! А я предлагаю сегодня провести эксперимент и проанализировать результаты.

Садитесь в автобус или любой другой транспорт, у которого автоматические двери. Зайдите внутрь и подождите. Когда они начнут закрываться, тут же высуньте голову, чтобы Вашу шею защемило.

Так нужно будет проехать целую остановку. Вопрос: когда-нибудь забудете эту поездку?

Нет! Потому что случай неординарный, из ряда вон выходящий! И каждого, кто Вам хотел помочь, их ком-

плименты в Ваш адрес за Вашу глупость, запах перегара, исходящий от некоторых из них, каждую проезжающую мимо машину, словом, все детали путешествия Вы запомните четко и навсегда.

В технике ускоренного обучения применяется именно такой механизм. Не буквально, конечно, не пугайтесь, но Вам все-таки достанется!

Просто установлено, что во время небольшого стресса восприятие информации и способность запоминать усиливается примерно в тысячу раз!

Это означает, что любого на короткий миг можно сделать гениальной личностью с прекрасной памятью и прекрасным восприятием. И равного Вам гения не найдется во всем мире! Так что подготовьте свою голову, сейчас буду поливать ее...

А если Вы перестанете обманывать себя и, положа руку на сердце, отбросив амбиции, обиды, найдете мужество посмотреть на себя со стороны, то Вы согласитесь, что есть над чем поработать, а это уже первый шаг к успеху.

Прежде чем начинать строительство нового дома, сначала надо сломать старую хибару, расчистить площадку, убрать весь мусор и только потом готовить место для фундамента.

Но если Вы все-таки обиделись, дорогой читатель, скажу Вам одно: с человеком, ищущим повод на кого-то обидеться, или причину не работать и не шевелить своими... Чем..?

Вы подумали — мозгами, а я говорю истинными словами — задницей, — не о чем говорить! Так что идите Вы своей дорогой! Счастливого пути!

Итак, разрешите, какой бы ни получилась книга, буду излагать материал так же, как на занятиях.

И для тех, кто ТУДА не пошел, а решил идти вперед, продолжаю!

Мой наставник часто повторял: «Не корми меня ядом, повторяя чужие высказывания». В Европе принято говорить из-за спин великих мудрецов, то есть цитировать их.

На Востоке это считается дурным тоном, потому что цитата, пропущенная через сознание оратора, есть информация второй свежести. Любая пища, пропущенная через желудок, имеет тенденцию менять свою сущность.

Если Вы не согласны, съешьте кусок изумительного торта, подождите, пока переварится, и попробуйте съесть этот кусок еще раз. Это и есть цитата.

Ну, как? Запах и вкус Вам понравились?

Родимый мой! Полет души в четверостишьях Омара Хайяма о любви и вечности истинно только из уст его самого.

Мысль ясна?

Если все еще нет, то предлагаю Вашему вниманию вопрос на засыпку: о чем думала Дездемона в последний момент жизни? Есть какие-нибудь версии ответа?

Конечно, Вы сейчас начнете нести всякую чушь, говоря: «О жизни. О правительстве. О погоде».

Если лично Вас Отелло не душил, то любое мнение на этот счет будет Вашей выдумкой! Но если душил, то должен был задушить! В таком случае, я удивляюсь, как Вы еще читаете эту книгу?!

Или другой вопрос: о чем думает человек, летящий, как камень, с десятого этажа?

Когда я в аудитории спрашиваю об этом, слушатели по-разному отвечают: вся жизнь проходит перед глазами, охватывает страх, ужас и т. п.

И еще ни разу ни чье мнение не совпало с моими переживаниями. Мой личный опыт падения с третьего этажа в студенческие годы позволяет сказать, о чем я в тот момент думал. Успел одно слово произнести, всего-навсего, а потом просто ждал долго-долго.

Хоть у меня культуры вообще нет, но все равно язык не поворачивается произнести, а тем более написать это слово.

Сделаю Вам то-о-ненький намек!

Как называется на русском языке белая сибирская лиса?

Значит, мой вывод: человека в момент свободного падения тянет заниматься наукой, в моем случае зоологией!

Вот почему в книге высказаны убеждения, исходящие только из личного опыта и достижений моих слушателей-пациентов!

Немного истории не к месту

Начну с рассказа об одном из первых моих наставников. Он сначала щедро одарил меня тумаками, а потом и знаниями, благодаря которым я сумел в жизни кое-чего достичь.

Итак, Сеид Мухаммед Хасан — да будет земля ему пухом! — ушел из жизни в возрасте 112 лет.

Он родился в Узбекистане, еще ребенком оказался с родителями-дипломатами в Англии. Там получил прекрасное образование. Сделал карьеру, но в возрасте сорока шести лет по болезни покинул дипломатический корпус Великобритании.

Серьезно увлекся восточной философией, 47 лет пробыл в храмах Непала и Индии, причем 19 лет голым отшельником высоко в горах.

В 95-летнем возрасте вернулся на родину, к могилам предков.

Он был выдающейся личностью. Для него человек, как открытая книга. Иногда он говорил, вздыхая: «Какой у этого мужа торжественный переплет. Жаль, что внутри нет ничего, кроме толстого кишечника».

В юности, когда я впервые в жизни его увидел, хорошо помню одну реплику. Она до сих пор звучит в моих ушах:

— Иди, сынок, с миром. Я трупов не лечу. Ты пришел, чтобы повесить свою тушу на мою старую шею, чтобы я страдал в поиске путей избавления тебя от хвори — не выйдет! Когда оживешь — приходи!

Что мне оставалось делать? Я ушел, крепко выругавшись напоследок. Но болезнь опять заставила меня встретиться с жестоким наставником.

Хотя к нему я вернулся через месяц, но смысл сказанного стариком дошел до меня «скоро» — лет через десять. Когда сам стал вникать в характер хронически больных людей, понял, что они всегда ждут помощи только извне, блокируют себя как творческую личность.

Как мне трудно было преодолеть собственную лень, как трудно было выполнять все его простые советы и наставления, но факт остается фактом. Он своей огромной душой и любовью заставил меня поверить в собственные силы, и мы вместе, уже через год, победили мою инвалидность, а через шесть лет я был совершенно здоров.

А потом стал домогаться к нему в ученики, и он, конечно же, с огромным удовольствием — вышвырнул меня вон!

Но я приходил снова и снова, заметно ухудшая его настроение своим присутствием. И однажды он не выдержал и уделил-таки мне пятнадцать минут, чтобы объяснить, что он не может брать перед Богом ответственность за меня — ему уже 106 лет и не сегодня-завтра он помрет, оставив меня недоучкой, калечащим людей. Произнеся все это, старик вновь выставил меня за ворота.

Если Вы решили, что я отстал, Вы ошиблись. Я прилип, как банный лист к одному месту, потому что не поверил ни одному его слову. Какое там умирать, он был крепок и свеж и, если бы я не знал его старшего сына, которому было 86 лет, то ни за что не дал бы своему мучителю больше шестидесяти.

И я его достал! Не устояв перед моей настырностью, он решил поменять тактику. Представив меня своим друзьям, он торжественно произнес, что собирается взять меня в ученики, и просил их быть свидетелями. Старики, чему-то ухмыляясь, закивали головами, а моей радости не было предела! Ну, наконец-то!

А тем временем мой будущий наставник вытащил толстенную книгу Абу Райхана Бируни и приказал выучить ее. Если не справлюсь — перед аксакалами дам слово мужчины не показываться здесь больше.

Не чувствуя подвоха, я согласился, да и что мне оставалось делать? В чем тут дело, я понял уже через минуту, когда он, слащаво улыбаясь, пожал мне руку и обрадовал, что незачем терять драгоценное время, так как экзамен... завтра.

— Ка-а-а-к? — уронил я челюсть до самого пупка.

Я наивно полагал, что сроку мне будет отпущено, по меньшей мере, год. А что можно выучить за один день — несколько стишков, но не огромный трактат. Абсурд какой-то! Не обращая внимания на мои возмущения, он твердо произнес:

— Не согласен — уходи!

И чтобы я не придумал на завтра какую-нибудь уважительную причину вроде похорон умершей полвека назад бабушки, приказал мне готовиться к экзамену здесь!

Он посадил меня посреди двора под виноградником, за низенький столик, а сам вернулся к своим друзьям и стал болтать с ними, как ни в чем не бывало.

А я приступил к зубрежке. Одолел одну страницу, вторую, третью, десятую...

Наступила ночь. Они давно поужинали (меня не пригласили). Один улегся спать, а двое стали гонять чаек и смотреть за мной в оба. Хотел встать размяться, они тут же пресекли все мои попытки своими ехидными репликами:

— Что, терпелка кончилась? — и все в том же духе.

Ну, думаю, буду сидеть, хоть лопните от своего чая.

Утро, полдень. Я, глядя невидящим взором в книгу, невольно ловлю запахи из кухни: вот потянуло молоком, а теперь пловом. Ой, как засосало под ложечкой, и голова закружилась...

Старички поели, попили без меня и улеглись отдыхать, весело поглядывая в мою сторону. А экзамена все нет. Вечер. Глаза мои слипаются, один сторож следит за мной, остальные мирно похрапывают.

В моей голове появилось и стало крепнуть желание досидеть до утра, а потом подойти и вцепиться им в бороды. И я уже ясно представил себе, как таскаю их поочередно за жидкие бороденки, а потом, раскинув руки, сплю здесь же под виноградником.

Не знаю, как высидел эту ночь. В груди клокотала ненависть. И в лучах восходящего солнца, давно позабыв о книге, я вперился бычьим взглядом в своих мучителей, выбирая, кого из них начать душить первым — мучителя-учителя или его друга-острослова, ежеминутно рекламирующего свой единственный зуб в широченной улыбке на полдвора.

Меня трясли за плечо, и я не сразу понял, что меня уже приглашают. А во дворе собрались сыновья хозяина, внуки, соседи пришли, чтобы взглянуть на бесплатное представление.

Хотел встать с достоинством, но тут же кулем свалился на бок. В голове пронеслась совершенно дикая мысль, что я безногий. Стал со страхом ощупывать себя: ноги на месте, но они недвижимы. Шутка ли — просидеть двое суток, почти не вставая.

Я поднимался, падал на колени, становился на четвереньки, снова падал под тихий смех зрителей. Закусив губы от обиды и боли, я проклинал своих мучителей и тот день, когда перешагнул порог этого дома.

Уже не владея собой, я пополз к этим старикашкам, волоча проклятую книгу. Они, улыбаясь, подняли меня и начали спрашивать.

Сколько вопросов они мне задали — не знаю. Я не мог вспомнить ничего из прочитанного. В конце концов наставник попросил:

— Скажи хоть название книги, тогда возьму тебя в ученики.

Я попытался напрячься и хоть что-то вспомнить — не получилось!

— Безмозглый, — заключил главный кровосос, и все остальные дружно закивали головами.

Мне было уже глубоко наплевать, возьмет он меня в ученики или нет. Я хотел уйти подальше от этого позора и мучений. А учитель, посоветовавшись со своими друзьями, вдруг объявил, что берет, так как я являюсь редким образцом тупого упрямства. Ему будет интересно попробовать, как Ходже Насреддину, обучать осла на двух ногах.

За все годы обучения он ни разу меня не похвалил, ни разу не поругал — бил. Его посох чаще оказывался у меня на спине, чем у его ног.

Помню, пришел к нему с отчетом. Так радовался, что из ста человек удалось сорок вылечить. Выслушав меня, учитель подвел черту:

— Убийца! Хвастаешься, что вылечил сорок, а что будет с остальными? Ты убил у них, может быть, последнюю надежду на выздоровление!

Я стал возражать, что от этих больных официальная медицина уже отказалась:

— Да и у Вас попадаются безнадежные два-три человека из ста...

Он долго не дискутировал — бабах! Палка снова опускалась на мою спину. Тогда я здорово возненавидел этот метод воспитания, но скоро понял, что он вполне оправдан.

За годы практики у меня не раз появлялось и до сих пор появляется желание взять в руки палку.

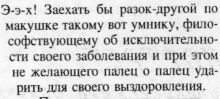

Э-э-х! Заехать бы разок-другой по макушке такому вот умнику, философствующему об исключительности своего заболевания и при этом не желающего палец о палец ударить для своего выздоровления.

Потрудиться они не хотят — лень! Проглотить таблетку, укольчик в зад — проще. Но здоровье не купишь и на халяву его не возьмешь. Его либо надо заработать потом, либо — кукиш от матушки-природы и от родного профсоюза.

Я говорю это с полным правом, так как сам прошел путь от нытика-инвалида до академика, и я не верю в Вашу неизлечимость! Не ве-рю! **Дорогу осилит идущий!**

Благодаря моему наставнику и упорной работе над собой я вырвался из когтей смерти. А потом, когда начал самостоятельно работать, в течение ряда лет проводил исследования. Наблюдал, сопоставлял, анализировал результаты десятков тысяч хворых с всевозможными диагнозами, разным стажем нахождения в недуге, различной тяжестью заболеваний.

Задача состояла в том, чтобы найти и выделить характерные черты тех людей, которые смогли победить болезнь. Чем они отличаются от всех остальных?

Другими словами, мне нужен был детальный портрет Человека-Победителя.

Зная ошибки, которые совершает типичный хроник-неудачник на пути к своему исцелению, уже нетрудно найти причины их возникновения и возможность избавиться от них.

Кто ищет, тот находит! Было найдено 11 закономерностей, благодаря которым родились учебно-оздоровительная и другие системы.

ПОРТРЕТ
хронического больного, очкарика или неудачника

Лучше быть придурком, но живым, здоровым и счастливым, чем умником, но несчастным, больным и чуть-чуть мертвым!

(Этот афоризм са-а-м придумал!)

К какому типу больных Вы себя причисляете, к умникам или придуркам? Если к придуркам, тогда Вы давным-давно должны были выздороветь.

Значит, Вы относитесь к очень умным, образованным самоубийцам.

Но если все-таки решили создать во всем теле весну, праздник в душе и восстановить зрение, то мы пройдем этот путь вместе.

Если нет — Ваш выбор, уважаю, значит, Вы его делаете сознательно. С небольшими потерями, продолжаем путь, т. е. на этом пути Вас уже нет, над-э-эюсь!

Существует шкала, которая объединяет больных людей.

Первая группа — придурки

Это те, которые случайно попадают в больницу и очень скоро уходят оттуда выздоровевшими. Их будем условно называть оптимисты-придурки. Почему?

Потому что у них настроение
всегда выше физического состояния.

Представьте, по человеку прошелся асфальтоуклад-
чик. Его отскребли от асфальта, привезли в приемный
покой. А он на носилках лежит и спрашивает: «Доктор,
когда меня домой отпустишь?»

Анализы показывают: до утра не доживет, а он планирует, с кем и в каких кустах будет завтра встречаться,
после того как его сегодня выпишут.

То есть физическое состояние «придурков» на самом
деле всегда намного хуже, чем настроение. Об этих лю-
дях собаки с завистью друг другу говорят: «У тебя, Ту-
зик, раны заживают, как на Марии Ивановне!»

Среди них хронических больных найти почти невозможно. Они или выздоравливают, или умирают, но от
глубокой старости!!

Вторая группа — умники — отряд очленившихся членистодвуногих

Ну, о-очень умные начитанные, все знают. Ну, как-
никак по двадцать лет болеют, «воняя» своими суждени-
ями и отравляя окружающую среду. Доводят своих родственников до инфаркта, а врачей до белого каления.

Вот когда «придурку» говоришь: «Тебе надо еще месяц
лечиться!», — у него на лице появляется сомнение, что он
выдержит так долго. Ему не верится, что столько дней надо
лечиться из-за какой-то там оторванной головы.

А умники...

Одного взгляда на их личико достаточно, чтобы понять, что они пришли за душой врача.

У этих людей настроение всегда намно-о-ого ниже,
чем физическое состояние.

Например, прыщ на носу вскочил. Умник приходит к
врачу:

— Доктор, я умру, да-а?

Или начинает корчить умную рожу и спрашивает (обратите внимание, как красиво звучит эта фраза):

— Доктор, были ли в Вашей практике случаи выздоровления от..? — и свою занозу добавляет.

Здесь подтекст такой: «Ну, не было, наверно, в Вашей практике и практике мировой медицины, чтобы кто-то вылечился от моей болезни».

Что бы ты ни говорил, как бы ни доказывал, что его болезнь — ерунда, очень легко вылечивается, и многие до него выздоровели, он говорит:

— Намереваюсь надеяться, но сумлеваюся.

Мир умников многообразен.

И первая подгруппа «умников» — растиражировавшаяся ошибка природы.

Это больные, у которых выздоровление является единственной целью в жизни. Вот представьте себе, что выздороветь — это цель самого существования. Что произойдет, когда Вы ее достигнете?

Утром встаете. Ничего не болит. К врачу идти не надо. Соседке пожаловаться не на что. Заняться нечем.

Становится как-то пусто, потому что болезнь была центром, вокруг которого проистекали все жизненные процессы. Вы потеряли цель — это же трагедия!

Придется измениться самому, изменить привычный, годами устоявшийся уклад жизни. Да еще преодолеть голод внимания к себе. Кровь-то сосать не у кого. А голод — не тетка, заставляет искать пропитание.

Нет! Уж лучше иметь «геморрой», к которому худо-бедно приспособился, чем выздороветь и потерять цель.

Такие «горемыки» десятилетиями ходят, доказывая, что они умнее всех, и «показывая врачам, где зимует кузькина мать».

Многолетний стаж болезни — это не шутка!

— А все врачи козлы!!!

Представляете, какими значимыми, умными они себя чувствуют! После выздоровления у них потеряется «радость» в жизни.

Внешность таких больных специфическая, их легко выделить из толпы. Да и поведением они стремятся доказать врачу и всему миру исключительность своего заболевания и тем самым добавить в список «врачей-козлов» фамилию любого, кто попытается это опровергнуть.

И вот тогда они станут чуточку счастливее. Пусть хоть и не надолго, но у них появится тема для разговоров с родственниками, соседями, друзьями: «Сходил я к нему. Ничего нового! Все это давно известно! Только и думают, как бы с бедных, несчастных больных содрать деньги!!!» и т. д.

Эта категория хронических больных не редкость на наших занятиях. Вы можете не согласиться?! Тогда радостно сообщаю, что Вы как раз и относитесь к этой группе больных. Обиделись? Не обижайтесь, это не шутка!

Дело в том, что так работает подсознание. Его «махинации» контролировать не в нашей власти. Только через осмысление таких вещей, тщательно завуалированных и глубоко скрытых в подсознании, мы можем победить недуг, стать счастливым, красивым, везучим в жизни человеком.

Второе стадо «умников» с противозачаточными прорезиненными извилинами — это те, которые от своей болезни получают наслаждение, одним словом, психические мазохисты-онанисты. Они сетуют на судьбу, постоянно занимаются самобичеванием, онанируют свои извилины.

Ладно бы извилин было много, а их всего-то раз два и обчелся! И потом жалеют себя:

— Ах, какой я несчастный, как жестока судьба, это мой крест, и я буду нести его до конца жизни.

Но раз уж мы об этом заговорили, отметим сразу, что чудес на свете не бывает. Вернее, чудеса возможны, но только в том случае, если мы хоть что-то делаем для их свершения.

Третий отряд извращенцев-садомовцев.

Они получают садистское удовольствие от того, что рядом находящиеся переживают, страдают за них. Они будут лучше себя чувствовать, если узнают, что кому-то еще хуже, чем им.

Четвертая подгруппа — стая обвампирившихся павлинообразных аллигаторов —

это особая группа вампирчиков, которая собирает внимание, любовь или жалость к себе других людей.

И все умники, как один, хотят быть здоровыми. Все крокодильи слезы льют и выпендриваются, доказывая неизлечимость своей болезни.

Иначе говоря, болея, Вы получаете свой дивиденд — это закономерность. Поэтому подсознательно Вы сопротивляетесь выздоровлению. Не согласны?

О-о-о, бесценный мой, если бы от Вашего согласия или несогласия были бы все здоровы, Вас бы считали великим лекарем!

Зоологическая классификация «умников» многообразна. Мы рассмотрели только некоторые подгруппы. Вы с огромным успехом можете создать свою группу или новую партию. Но от этого Ваш бзик в голове, отразившийся в теле, никуда не уйдет!

Итак, до тонкостей изучив портрет хронического больного-неудачника, можно уже в самом начале общения безошибочно определить, к какому типу Вы относитесь, что Вам мешает выздороветь и, главное, как Вам помочь?

Теперь тот же самый вопрос на засыпку. К какой же классификации Вы относите себя сами?

Скажите, пожалуйста, Вы хотите быть любимым? Конечно!

Значит, если так, то, прежде всего, придется заставить самому любить и уважать себя.

Вы такие прекрасные специалисты. А как папам, мамам, дедушкам или бабушкам Вам просто цены нет! Но для себя у Вас времени так до сих пор и не нашлось! Что с Вами стало из-за наплевательского отношения к себе?! Подумайте об этом!

ОПЫТ ДУРАКА,
или мой личный опыт

Идиот учится на своих ошибках, болван обучается дебилизму у идиота.

Рецепт мудрости, выловленный из собственной стиральной машины!

С кажите, пожалуйста, есть ли у Вас лишнее время, которое Вы можете потратить впустую на чтение этой книги?

Есть ли у Вас лишняя вера в себя, которую Вы с успехом обернете в неверие?

Есть ли у Вас лишняя сила, которую Вы направите во вред себе?

Если нет, убедительно прошу прочесть эту маленькую главу.

Но, может быть, Вы очень упорный дурак, кем был я в свое время, и у Вас есть лишние шесть лет жизни, которые Вам не жалко на саморазрушение?!

Готовы ли Вы тратить силы на интенсивные каторжные тренировки до восьми часов в день, чтобы в конце всей эпопеи остаться у разбитого корыта?!

Готовы ли Вы укреплять болезнь, сомнения, неверие в себя, а свои проблемы превращать в непобедимого монстра?!

Готовы ли Вы потерять веру во все и впасть в отчаяние после всех затраченных усилий?!

Если Вы ответите «нет», я жму Вашу руку. К действию!

Убедительно прошу, учитесь на чужих ошибках! Сегодня подопытным кроликом на Вашем лабораторном столе буду я!

Родимый мой! Я сам в свое время, как пациент, слушал наставника и в том, что он говорил, не замечал никакой связи со своим недугом. Иногда это очень сильно раздражало. Но сейчас до сих пор при одном воспоминании об этом меня от стыда бросает в жар.

Он все время долго и нудно говорил о каких-то вещах, не имеющих, на первый взгляд, никакого отношения к моим болезням.

Он говорил о какой-то там радости, улыбке, настрое, лени, неверии в себя, сомнении... Ну просто отнимал время!

Только из уважения к его возрасту я терпел этого старого человека, страдающего метеоризмом.

Он мне говорил во время упражнения: «Послушай, у тебя лицо холодное стало. У тебя мертвое лицо. А ну-ка, поправь осанку, мимику. Создай эмоцию».

Чтобы не обидеть старика, я все это выполнял в виде одолжения, а сам думал: «Какая связь может быть между моей рожей и упражнениями? Главное ведь тренировки!»

А там тоже понимал и принимал только физическую сторону: согреть, охладить, повернуться, куда-то посмотреть и т. д. Уж их-то я выполнял по принципу «бери больше, кидай дальше». А потом опять начиналась эта мука ожидания практических занятий.

Подумайте же! Два часа говорит не пойми о чем и только пятнадцать минут упражнение, а потом опять три часа трепа. Раздражения — через край!

Да я чихать хотел на всю эту философию!! Давай в конце-то концов работать!!

Одним словом, сидел и ждал: «Ну когда же он, наконец, закроет пасть? Ну надоел же! Я все это знаю, я все понимаю — это избитые истины. Ну, Боже мой, сколько можно его терпеть?!» А наставник постоянно повторял:

«Главное не в том, что́ ты делаешь, а ка́к ты это делаешь».

А вот сейчас, видя каждый день сотни людей и узнавая в них себя прежнего, прихожу в бешенство.

Теперь сам понял, до чего же трудно донести до них суть. Они с еле скрываемым раздражением терпят мою болтовню о внутренней сути и ждут, как я тогда, практики. Вижу в их глазах до боли знакомое выражение, как будто у них шило в одном месте. Смотрят на меня, как на зануду.

Я оказался в роли своего наставника, пусть земля ему будет пухом. И до меня дошло, что почти все хронические больные такие.

И Вы, мой собеседник, возможно, тоже пойдете по этому пути нетерпеливого ожидания практики! Вам тоже будет казаться, что я долго говорю о вещах, не касающихся Вашего зрения, но как мне быть, если именно в этом находятся главные ключи к решению проблем!

Еще раз настоятельно требую обратить внимание на мою малюсенькую ошибку, которая обернулась шестилетним каторжным безрезультатным трудом.

Внимание, личная ошибка!

После того, как с горем пополам под руководством наставника вылечил почки, я остался один на один с еще одной своей нерешенной проблемой, о которой мне было стыдно говорить. Сейчас я об этом рассказываю спокойно.

Впоследствии я вылечился и не только вылечился, но создал свою школу. Туда валом валят мужчины, которых я делаю не просто сильными в сексуальном плане, но превращаю в роторные машины, работающие двадцать пять часов в сутки и тридцать три дня в месяц.

Но это стало потом, а сначала я потерял годы жизни, пока понял, что не столь важно само упражнение, сколь суть, которую в него вкладываешь и ка́к его вы-полняешь.

Обратите свой внимательный взор на нижеследую-щие пункты. Это ОЧЕНЬ важно!

От одного и того же упражнения можно получить:
1. пользу,
2. вред или
3. не добиться никакого результата.

Когда мне надо было самостоятельно работать над своей проблемой, я, оказывается, забыл, или не обратил внимание, или, вернее, пренебрег главными, но, с моей точки зрения, второстепенными вещами. Речь идет об искусственно создаваемом, нужном для выздоровления внутреннем настрое.

Выполняю упражнения, которые мне показывал на-ставник, неделю, выполняю месяц, ну никаких улучше-ний в состоянии здоровья.

Вот тогда я начал «улучшать», «укреплять», «усили-вать», «обогащать» новыми упражнениями его методику.

Первое, что я добавил, — бег. Сначала по 300—400 метров каждый день и за год довел расстояние пробежек до десяти километров. И это каждый божий день!..

Не помогает!

Дальше — больше. Зимой свою дежурную трассу пробегал босиком, в одних спортивных трусах. Представь-те себе, бежит полуголый парень, в волосах сосульки звенят. Но и этого показалось мало. Добавил купание в проруби. Ни хрена не помогает!!

В комнате специально из окон вытащил стекла. Все это время жил, можно сказать, в природных условиях: на улице минус двадцать и в комнате примерно столько же.

И все напрасно! Весь этот труд день ото дня работал против меня. Выздоровления не видать как своих ушей!

Из-за того, что утренние часы у меня были заняты, я в обеденное время прибегал домой и ложился отдыхать на «мягкую» доску размером метр на два, всю утыканную такими остренькими гвоздиками. И даже умудрялся спать!

К этому моменту моя эпопея уже продолжалась два года.

А, кстати, чуть не забыл. Вечер тоже у меня был загружен трехчасовой тренировкой по рукопашному бою.

Я не мог простить тех подлецов, которые избили меня в армии. До сих пор не знаю, за что сделали тогда меня инвалидом. Я должен был научиться драться, чтобы постоять за себя!

И впоследствии стал серебряным призером чемпионата СССР по каратэ в своей весовой категории. Вел тренерскую работу, обучал других, как побеждать, а сам свою болезнь победить не мог! И так на этот мартышкин труд уходило по шесть-восемь часов в день.

Шесть лет такого упорства не дали никакой пользы. Как был импотентом, так и остался. Почему?

Да потому что я все это делал вначале с энтузиазмом, как никак почки-то вылечил! Потом с недоумением: почему не помогает, я же больше работаю над собой, чем раньше?!

Потом с сомнением, дальше с отчаянием, которое перешло в уныние, и в конце с яростью мазохиста я начал себя терзать.

Анализ ошибки

Теперь посмотрим. Получается, сначала я тренировал тело, волю, настойчивость. О, Всевышний! Внутренняя суть формировалась синхронно с моим телом. Сначала я во время тренировок:

— до **высочайшего уровня развил в душе недоумение и хаос;**

— **укрепил сомнение в выздоровлении до состояния непобедимого монстра;**

— это перешло в состояние устойчивого неверия в успех своих действий;

— дальше я, оказывается, тренировал отчаяние;

— с ослиным упорством умножал день ото дня уныние;

— а закончилось это тем, что я стал истязать, разрушать себя с ненавистью ко всему, да еще в специально отведенное для этого время!

Однажды мой наставник меня спросил: «Сынок, не кажется ли тебе, что ты засиделся в холостяках?»

Ведь на Востоке двадцать семь лет — зрелый возраст. Вот тогда меня прорвало, и я рассказал ему о своей беде.

«Ах, ты, безмозглый осел! — и ка-а-ак шандарахнул меня посохом по спине. — Ты столько лет лечишь людей, а сам болеешь! Чему ты их обучаешь, несчастье ты мое?! Почему не сказал мне об этом?!»

Мне было стыдно. Мужчине лучше подохнуть, чем признаться в собственном бессилии. Учитель мой провел анализ упражнений, которые я делал для себя. За это время я постоянно получал вознаграждение в виде ударов посохом куда попало.

И представьте себе, дорогой мой собеседник! Он опять же заставил меня выполнить те же упражнения, которым я обучал людей, но сделал ударение именно на то, на что я меньше всего во время занятий обращал внимание. Думал, что все это прихоть старого пердуна, прости меня Господи!

Выяснилось, что на занятиях о сути я упоминал вскользь, ради галочки, потому что мой наставник когда-то мне тоже это говорил.

И каково же было мое изумление, когда уже на третий день я почувствовал первые признаки начавшегося выздоровления!

Теперь поставьте на одну чашу весов 2200 дней (это примерно шесть лет) молодой, сильной, энергичной, упорной тренировки для умножения глупости и на другую — всего три дня мудрости. Вот почему говорится «дурная голова ногам покоя не дает». Что-что, а уж эту чашу я испил сполна!

Через полтора месяца я приехал домой и сообщил, что женюсь. Через десять месяцев у меня родился первый сын, через год — второй, а потом дочь... Дай Бог всем им здоровья и счастья.

И благодаря этой системе тысячи бездетных семей обрели радость отцовства и материнства.

Поэтому буду для Вас эталоном занудства, еще много раз буду объяснять, гавкать, каркать, постоянно напоминая о том, что главное — не упражнения, а основательная внутренняя подготовка к ним.

Упражнения, как Вы уже заметили, находятся в конце книги и занимают совсем немного места. Мы будем долго говорить перед тем, как приступим к ним, потому что нам надо знать своего «врага» в лицо, т. е. возможные ошибки и пути их устранения.

Вы сейчас оказались в таком же положении, как я тогда. «Скорее пра-а-а-ктику!!» Не повторяйте чужих ошибок.

Осечка Вам не нужна! Лучше десять раз проверить свой парашют, перед тем как подняться в воздух, потому что не раскроется он только один раз.

Если моего личного опыта Вам покажется недостаточно, то опыт около миллиона вылеченных мною больных наверняка восполнит этот пробел.

ЛИРИЧЕСКАЯ ОПРАВА
к Вашим очкам!

Я никогда не думал, что буду врачом, психологом или педагогом, тем более, как меня обозвали, «штамповщиком миллионеров». Иногда и сейчас не хочется быть им, когда каждый божий день встречаешься с пассивной глупостью людей, особенно если она принимает форму активного ума.

Сейчас, работая с больными, «копаясь» в их извилинах, я всегда чувствую себя единственным в мире специалистом психологом-проктологом. Вы знаете, кто такой проктолог, да? Это врач, специалист по кишечнику.

Когда я пытаюсь вникнуть в мысли хронического больного, то оказываюсь с головой в толстом кишечнике, который мы называем извилинами мозгов. Приходится слушать их урчание в виде мыслей и пуканье в виде высказываний в оправдание своих проблем.

А как иначе можно относиться к тем хроническим больным, которые десятилетиями активно сопротивляются выздоровлению, не веря, сомневаясь в нем или, в лучшем случае, теша себя ожиданием чуда: «А вдруг выздоровею в один прекрасный момент?»

Они составляют огромную армию, против которой иногда чувствуешь всю бесполезность труда и никчемность своей любви. Бывает очень больно это осознавать, потому что именно этим людям посвятил свою единственную жизнь.

Армия ленивых всегда была, есть и будет — это означает, хронические больные, бедные и не реализованные в жизни люди были, есть и будут.

Дорогой мой собеседник, многие люди долгие годы болеют не оттого, что врачи и медицина плохи, а оттого, что меньше всего в мире ценят жизнь и здоровье, особенно когда они есть.

Даже потеряв здоровье, человек ведет себя как безмозглый осел (простите за искренность)! Он думает: «Кто-то умрет, а я буду жить еще 100 лет, воняя и отравляя экологию». Вы считаете, кто-то думает иначе?

Хорошо, тогда вопрос на засыпку.

Скажите, пожалуйста, когда Вы пойдете к врачу, когда зуб начал крошиться, но не болит, или когда уже болит? Ответили?

А зубы разве просто так болят? Для того чтобы зуб заболел, нужно минимум лет пять доводить до кондиции, пока кариес основательно его не разъест.

У Вас зубы хоть один раз в жизни болели? Да? О чем тогда речь?! Чего от Вас можно ждать? Какое у Вас отношение к своему здоровью?!

Оказывается, больной идет к врачу не за здоровьем, а для того, чтобы избавиться от боли и дискомфорта! И основная масса людей, т. е. толпа, мыслит почти точно так же, как и Вы сами! Но шанс отделиться от толпы всегда есть! Важно этого захотеть!

Всестороннее изучение образа жизни и характера хроников-неудачников открыло множественные закономерности в поведении людей вне зависимости от возраста, пола, социального происхождения, страдающих от нереализованности поставленных в жизни задач.

Именно поэтому я с Вами говорю искренне, от всего сердца, и в то же время беспощадно к тем сторонам характера, которые привели Вас к недугу и десятилетиями крепко удерживают в нем.

Потому что знаю Вас и оттуда, и отсюда, — со всех сторон, как облупленного. Сам такой был! И в эти моменты мне глубоко начихать на любую культуру. Что чувствую, то с болью и любовью излагаю!

А такое право мне дает огромное число моих пациентов, которые, пройдя этим путем сами, собственным желанием, собственными усилиями, собственной волей восстановили не только зрение, но избавились от других заболеваний. Даже таких, которые до сих пор в официальной медицине считаются неизлечимыми.

Это право мне дают сотни моих выпускников, которые в свое время еле-еле находили деньги на лекарства, а теперь их считают миллионерами.

Как педагог я от всего сердца радуюсь за них и хочется с гордостью крикнуть: «Виват! Это моя работа!» Но Господь дает что-либо только тому, кто стремится. Я просто был проводником или указателем у дороги.

Я благодарен Господу Богу за данную мне возможность служить Ему и выполнять эту работу для Вас!

Если Вы хотите встать в их ряды, в ряды Победителей — милости просим! Быть здоровым очень легко, очень просто. Эту мысль буду повторять и повторять без конца.

Вся загвоздка в том, что Вы знаете, как быть здоровым, красивым, богатым, счастливым. Вы все знаете, Ё-К-Л-М-Н, но ничего не делаете! Понимаете?! Беда в том, что не действуете!

Тупиковых ситуаций не бывает, кроме смерти, выход есть всегда.

Но когда Вы знаете, как выбраться из ямы, где по уши сидите в чем? ... Я говорю: «По уши в проблемах...» А Вы о чем подумали (?!)... и даже не пытаетесь встать, не говоря о выходе из нее, тогда чем Вы отличаетесь от осла, нагруженного мудрыми книгами?

Мертвые, невостребованные знания Вас же держат в нереализованности, с Вашей же помощью медленно убивают Вас, превращая в человека из толпы без имени и лица, т. е. в НОРМАЛЬНОГО.

А Вы считаете себя нормальным? Абсолютно нормальным, да?

Тогда Вы страшный человек!!! **Почему?...**

А ЧТО ТАКОЕ НОРМА,
или кто такой «нормальный» гражданин

Экскурсия в биологию

Норма — это то, что принято большинством, не так ли? Она человека скручивает в бараний рог, загоняет в раз и навсегда кем-то установленные рамки, перекрывает пути к творчеству. Это болото, где погибают, не успев пробудиться, будущие гении, титаны, творцы.

Потому что все заранее предписано, кто и как должен себя вести. Бабушка должна быть непременно в очках, с вязанием в руках. Дедушка — угрюмый, с палочкой. А сидящий в метро обязан смотреть, как дохлая корова, уставившись вперед. В лучшем случае можно прикрыться газеткой.

А Вы попробуйте просто песенки себе под нос мурлыкать и

улыбаться «во весь вагон». Сразу перейдете в разряд ненормальных. Вы согласны?

Как начальник, Вам нужно зайти с умным видом — морда совковой лопаткой — и целый день делать вид, что все время что-то обдумываете, т. е. мудрите! Так?

Я, конечно, немного утрирую, но из рамок поведения «нормального» человека и складывается характер. Окружающий мир навязывает нам образ действий и давит, если мы осмеливаемся не подчиниться.

А толпа людей, принявших для себя стадные законы, не потерпит, если кто-то захочет проявить свою индивидуальность.

Вы когда-нибудь группу слепых от рождения видели? Да?

Что возникает у Вас в душе по отношению к этим людям? Жалость, сочувствие? Но если бы Вы общались с ними, Вы сделали бы для себя открытие. В своей группе — они счастливы. Они себя чувствуют нормально.

Когда я в аудитории веду занятия и чувствую сопротивление некоторых слушателей, у которых всегда и на все есть свое твердое мнение, то очень часто чувствую себя в обществе слепых.

Такое впечатление, что человечество — это огромное общество слепых.

Оно составило свои комитеты, министерства, ведомства, которые что-то делают, куда-то стремятся, двигаются... Вот только вопрос: куда?

Если тело растет, а сознание остается на уровне развития пятилетнего ребенка, то человек всю жизнь является потребителем. И таких, к сожалению, большинство.

А историю меняют личности. Попробуйте убрать из истории Фирдоуси, Чингисхана, Македонского, Наполеона. Получится?

Каждый из них внес в этот мир изменения, каждый что-то оставил после себя. Тысячи лет тому назад великий математик и мудрец древности Аль Хорезми создал алгебру, а выведенное им понятие алгоритма пролежало тысячи лет, как никому не нужная причуда. А сейчас оно легло в основу всей компьютерной технологии.

Вы компьютером пользуетесь?...

Скажите, что́, основная масса — творческие люди, что ли? Потребители! Ничего своего в голове нет, все вложено со стороны: чужие мнения, правила, суждения.

Общество элементарных обслуживающих себя биологических роботов. Если убрать из истории тех похожих друг на друга, которых тысячи, абсолютно ничего не изменится. Что были, что нет — разницы никакой!

Быть личностью очень тяжело, потому что одиночество — страшная штука! Да, одиночество, потому что Вы автоматически оказываетесь на вершине. Личность не может быть бедной, больной, нереализованной.

Но еще страшнее колыхаться в этой серой, безликой массе. Такая тоска! Разве жизнь дана для этого?!

Вот скажите, пожалуйста, неужели, когда Вы остаетесь один на один с собой, Ваш внутренний голос не говорит: «Что ты делаешь?! Ты можешь многое, ты достоин большего!»? Вы свою жизнь тратите на изучение каких-то профессий, на что-то еще.

А когда-нибудь, хоть один час Вы сидели, знакомились с самим собой? Не было такого случая! Больше всего мы боимся и дальше всего пытаемся убежать от самого себя.

Мы знаем многие вещи, а себя нет. Поэтому и тыркаемся в жизни, как слепые. Больные, не реализованные, не способные оптимально решить самую простую проблему, беспомощные, как дети, искусно маскируемся под взрослых дяденек и тетенек, играя роль, напуская на себя важность.

Кого мы хотим обмануть? Кого бы ни хотели, но обманутыми остаемся сами.

Запомните! Толпа всегда стремится к покою. А покой-то имеет свою конечную стадию — вечный покой. Толпа мертва изначально. Она может только жрать и... Вы о чем подумали?! На собрание ходить...

Значит, быть здоровым — это легко. Просто надо стать ЛИЧНОСТЬЮ. Любая Ваша победа, любой успех будут зависеть только от Вас. Все начинается с признания в себе ЛИЧНОСТИ, ЧЕЛОВЕКА с большой буквы.

Хороший мой, пожалуйста, внимательно послушайте Душу свою, Дух и Разум. Вы услышите Великий внутренний зов того, кто нас сотворил.

Созидать, творить любить, быть любимым, здоровым, счастливым, богатым во всех отношениях: все и вся ДАНО Вам!

Сколько можно ждать, родимый мой читатель, время уходит! Не успеете глазом моргнуть, и жизнь пройдет! Скажите, пожалуйста, сколько жизней Вам дано?

Вчерашний день прошел. Попробуйте вернуть его. Все! Это уже история. Вы согласны?

Только вчера мы были детьми, только вчера ползали на четвереньках, катали под столом свой горшок и проверяли, хорошо ли брызгается моча. Нас несли в ванную комнату, чтобы помыть руки. А теперь посмотритесь в зеркало!

Да-а-а. Вчера, позавчера мы были радостны или печальны. Что это меняет? Ровным счетом ничего!

Может быть, Вы гордитесь, что работаете большим начальником? Ну и что! А может, Вам не это нужно.

Может, где-то глубоко в душе, куда Вы боитесь заглянуть, запрятана

сокровенная мечта? Вы делаете вид, что вполне довольны жизнью?! А на самом деле так ли это? Посмотрите на
все глазами души!

Жизнь, особенно в городе, — это огромнейший те-
атр абсурда, где каждый живет, руководствуясь выду-
манными ценностями, играя чужую, не свойственную ему
роль. И так заигрывается, что теряет себя, свою неповто-
римую индивидуальность. Понимаете?

Все стараются быть нормальными, нормально жить,
работать, чтобы все было как у людей, т. е. значит как у
всех. Тогда попробуйте вспомнить «нормальных» сооте-
чественников, скажем, Льва Толстого. Ведь Лев Толстой
был ненормальным человеком, Вы согласны? Граф, а как
крестьянин босиком ходил, землю пахал, на велосипеде
ездил. В конце жизни вообще из дома ушел.

С точки зрения толпы он достоин осуждения. А те
графы, которые жили, как положено, умные физионо-
мии корчили, кто-нибудь их помнит, а?

Представьте себе еще раз мир без Шекспира, Кон-
фуция, Омара Хайяма, даже Гитлера — злого гения —
уберите из истории... Толпа — это пустота. Отделитесь
от нее!

В Вас скрыта гениальная, выдающаяся, могущест-
венная личность, которая благодаря человеческой лени,
или ошибкам, зажата в рамках общепринятых «норм»:
действий, поведения, правды, понятий.

Быть естественным, быть самим собой, жить истинными чувствами, воспринимать мир открытой душой и не бояться неодобрения со стороны — вот что
самое трудное.

Личность всегда оказывается белой вороной.

Итак, вопрос. **Вы готовы поставить себя в условия
обреченности на успех по собственному желанию?** Все,
что требуется от Вас, — это начать действовать.

С сегодняшнего дня мы искусственно, я подчеркиваю, искусственно будем выходить из стереотипа поведения, мышления, оценок, ценностей, утверждений, мнений и т. д.

Раз больной — хроник, значит, все его мысли и действия не соответствуют созиданию. Раз человек в жизни не реализован как Личность, нуждается материально и постоянно теряет ориентиры, значит, во многом его мировоззрение ошибочно, многие его точки зрения ничем не подкреплены. Поэтому нам с Вами предстоит входить в роль созидательной Личности.

В природе место пустым не остается. Любая работа дает какой-то результат, а вот какой, зависит от Вас! Из ничего, из пустоты что-то не возникает.

Когда Вы усилием воли вызываете уважение к себе, искусственно повышаете самооценку, углубляете веру в свои силы, все это рикошетом будет отражаться в каждой клеточке организма и на Вашем поведении, и в поступках, и в делах.

От повторения поступка возникает привычка, формируется характер, созидается судьба. Сегодняшнее чуть большее самоуважение, чем вчера, завтра сделает Вас чуточку другим. Так постепенно Вы станете в жизни тем человеком, кем Вы намерены быть, и со спортивным азартом будете преодолевать любые жизненные трудности.

Болезнь «не отпускает» тех людей, которые о своем здоровье, о себе думают в последнюю очередь. Хронически больной — это человек, который себя за грош не ценит или как раз наоборот, необычайно «дорожит» своими болячками. У такого человека даже одна доска в штакетнике на даче или ржавый гвоздь в доме стоят больше, чем его жизнь.

Почему я говорю с такой уверенностью? Потому что опыт показал: нет больного, который не может себя вылечить! Конечно, если нога отсутствует, бессмысленно лечить коленную чашечку. А в остальном...

Значит, мы начнем с формирования нелогичного поведения.

Уже сегодня Вам предстоит стать ненормальным человеком. Нормальный говорит: «Вначале я хочу видеть свое выздоровление, а потом в душе порадуюсь. А пока ждем-с».

При таком подходе фиг когда будете радоваться, потому что логика опирается на факт, а факта выздоровления нет. Вот она, ловушка для дураков с ученым званием!

А как Вы думаете, что легче, выздороветь или радоваться за то, что выздоровеете?

Конечно, заставить себя искусственно радоваться, как олух, намного легче, и получится это мгновенно. А чтобы принудить себя выздороветь, для этого нужны труд и время. Так что начнем с посильного.

Остается самое малое: выдумать, высосать из пальца радость и играть эту радость, как роль, до тех пор, пока не получите результат и состояние это не станет Вашей сутью. Как? Чтобы помочь себе, вспомните, как Вы шли на первое свидание. Да разве Вы шли? Вы — летели, может быть, ползли от страха или спонтанно случался энурез.

А в душе было трепетное ожидание чего-то необыкновенного, сердце замирало от счастья...

А как первый раз целовались?!.. Или как бежали на танцульки?!..

В общем, найдите что-нибудь такое, когда Вы чувствовали себя окрыленным, вдохновленным, на седьмом небе от счастья...

Если Вы оконченный злодей, то представьте какую-нибудь «светлую» картину. Найдите себе радость, сделав кому-нибудь гадость! Есть же люди, которым хорошо только тогда, когда другим плохо, и плохо тогда, когда другим хорошо!

Например, у Вас проблема со здоровьем оттого, что жена «композиторша», внучка Чайковского. Вы представьте, что взяли ее музыкальный инструмент... скрипочку и выбросили...

Или Ваш начальник на пенсию не уходит, и от этого у Вас давление высокое. Представьте себе, что я распорядился уволить начальника и назначить Вас.

Или муж гуляет. Представьте себе, на старости лет, оказывается, он еще имеет ценность! Вы согласны? Создайте радость!

Или Ваш сосед каждый день что-то пилит, работает дрелью и отбойным молотком. А Вы в этот момент вообразите, что взяли кувалду, подошли сзади и... Кокс, по голове. Он уже лежит. Какое счастье! Вы согласны?

Или еще лучше! Вы получите рецепт в аптеку. Я напишу: «Соседу цианистый калий три раза в день перед обедом... натощак... До полного достижения цели!»

Значит, выдумываете — свой образ радости! Согласны? Только не об этой радости я говорю!

Дорогая читательница, если Вы мамаша, вспомните, что Вы ощущали в душе, когда впервые приложили к груди своего малыша? Представьте, что это происходит сейчас! Чтобы по всему телу прошли нежность, трепетное блаженство, истома.

Это один из ключей к созданию внутреннего подъема при выполнении упражнений. Ничего привнесенного извне, ничего наносного — в Вас все уже есть. Распорядитесь этим богатством разумно.

А НАШЕ-ТО БОЛОТО ЛУЧШЕ!

Всяк кулик свое болото хвалит,
но факт — вещь упрямая.

О системе

Вы наверняка знаете о существовании различных методик, читали много книг по восстановлению здоровья и, в частности, зрения. Каждая из них хороша по-своему и, безусловно, имеет право на существование. Но главный секрет успеха все-таки не в методиках и книгах, а в том, работаете ли Вы над собой или нет. Если Вы не прилагаете никаких усилий, то само по себе ничего не устроится.

Та выстраданная многолетним трудом система, которую я предлагаю Вам, тоже требует вложения душевных и физических сил. Стоит это того или нет решать Вам. Я лишь скажу, что на восстановление 1 диоптрии (дпт.) даю своим слушателям от 3 до 6 дней.

В отличие от других методик и комплексов, которые обещают улучшение зрения на одну дпт. за 3—6 месяцев, эта система получается результативнее в тридцать раз! Проверено временем.

И все-таки она не является панацеей, потому что бросает вызов не болезни, а хроническому больному! Не болезнь является убийцей, а сам хронический больной, не желающий ничего в себе менять.

Основная масса людей ленива. Им проще смотреть на мир через посредника, т. е. через очки, чем возиться с книгой, а тем более заниматься по ней.

Извне поменять человеческую природу невозможно. Она переплавляется изнутри, самим человеком, его желанием, стремлением и железной волей.

Система рассчитана на сильных людей, потому что подразумевается активное участие самого счастливого обладателя «гоночного велосипеда» на носу в процессе восстановления зрения. Я рад служить Вам, чтобы Вы стали еще сильнее.

Слава Богу, есть очень много достижений, от лазерной коагуляции до скальпеля хирурга. Но зачем ковыряться в глазах, когда источник болезни находится в другом месте. Да, именно там, о чем Вы подумали.

Когда причина недуга находится в душе, то никакие скальпели не помогут, Вы согласны?

Никакая техника не может изменить душу человека. А если больной еще пассивен и ждет, когда ему «вернут здоровье» через капли, процедуры, специальные очки, — он обречен на вечное ожидание, потому что будет надеяться, что в следующий раз «дадут» еще. И потом ему будет намного тяжелее «получить», потому что запас прочности организма истощается болезнью: все уменьшается, уменьшается и уменьшается...

Больной надеется и ничего не предпринимает. Но если он собственными усилиями берется за дело, встает против болезни плечом к плечу с врачом, то победа обеспечена.

Почему здоровье наших выпускников через три, четыре года остается стабильным? Потому что болезнь уходит навсегда на уровне сознания, души, характера.

Возможности организма не ограничены.

А знаете ли Вы, что мозг способен сжечь тело? Если Вас ввести в состояние гипноза, показать монету или какую-нибудь железяку, а затем сказать, что сейчас ее, раскаленную докрасна, приложат к телу, а на самом деле приложить картонку, в месте прикосновения появится самый настоящий ожог, и шрам останется на всю жизнь.

Ожидание ожога сжигает ткани организма по-настоящему. Через год или два Вы возвращаетесь, и также в состоянии гипноза Вам говорят, что тогда прикладывали теплый картонный кружок. В течение двух недель шрам исчезает навсегда. Организм сам убирает последствия.

В моей практике был случай. Пациенту, 60% поверхности тела которого была покрыта грубыми шрамами после ожога, удалось убрать все рубцы полностью. Кожа стала ровной, гладкой. Понятно?

О, СВЕТ МОИХ ОЧЕЙ, почему Вы в очках?

Да потому, что все носят. Бе-е-е...

**Выписка из основного закона
бараньего стада.
(Статья 918, пункт 10.1,
страница 1846)**

Еще двадцать лет тому назад, когда эта система была создана и пошли первые результаты, я начал кричать:

— Ура! Эврика! Нашел!

А чего собственно мне удалось достичь за эти годы? Ну, хорошо! Из ста очкариков сто бросают очки.

Ну и что?

Оказывается, я создал мертвого ребенка, потому что я пошел и против человеческой лени.

Вот скажите, почему Вы носите очки? Разве отсутствуют способы восстановления зрения? Да их много, тьма тьмущая! Просто-напросто есть такое понятие: «**спрос порождает предложение**».

«Очкарик» хочет как можно быстрее, без труда и в то же время результативно избавиться от плохого зрения или от другой болезни, а врач, в свою очередь, — от больного. У врача есть свой норматив — столько-то «человек в день», когда он должен принять определенное количество больных, поставить диагноз, назначить лечение и отправить за очками в оптику. У него есть для Вас максимум пять или десять минут. Такой порядок.

Итак, Вы приходите к врачу, скажем, с миопией или астигматизмом. Он посмотрел, проверил и выписал рецепт на очки. Через десять минут его глаза Вас не видят и больше и не увидят.

Ну, это, конечно, преувеличение, еще увидят, потому что раз Вы очки надели, зрение будет и дальше ухудшаться.

Образно говоря, когда тяжесть больной ноги переносим на костыли, нога начинает отсыхать. Так что усилия двух ног постепенно переходят на четыре. Теперь уже ходим на четвереньках.

То есть больной теперь от своей лени опускается до уровня четвероногого.

А здесь, в этой системе, если у Вас, скажем, минус (или плюс) 2 дпт., на восстановление зрения потребуется десять дней и примерно сорок дней на адаптацию. А если минус (или плюс) 10 дпт., то — полтора-два месяца плюс время на адаптацию. Три-пять раз в неделю нужно заниматься от пятнадцати до сорока минут. В глобальном масштабе это никому не нужно.

Но зато если Вы носите очки, то постоянно свои деньги вкладываете в товар. Вы патриот, помогаете экономике. Товар — деньги — товар.

Вы потребитель, который приносит доход фирмам, предприятиям-производителям (но своим состоянием здоровья — вред государству). Поэтому потребитель должен постоянно быть заинтересованным в предлагаемой продукции. В данном случае покупателю надлежит всегда болеть, т. е. ходить в очках. Вот одна из причин, почему Вы носите очки.

Это самый легкий для Вас и доходный для других способ решения своих проблем. Зрение ухудшилось, через пять минут Вы нахлобучили на нос «инвалидную коляску».

Организации, которые выпускают очки, получили дополнительного покупателя, т. е. потребителя. Вы счастливы, а они-то как счастливы!!

В свое время в сотни стран мы послали информацию об этой системе восстановления зрения. Только японцы откликнулись, громадное им спасибо.

Они прислали благодарственное письмо и поделились результатами. «...На базе одного социологического института, — чтобы незаслуженно никого не обижать, разрешите не упоминать название института, — мы провели исследования среди студентов. Положительный результат составил свыше 80%. Но в данный момент японская экономика не готова воспринять такую нагрузку...»

Я не понял, причем здесь экономика?

Потом идет объяснение: «...Если 10% из почти шестидесяти миллионов плохо видящих японцев бросят очки, восстановив зрение, окажется 6 млн невостребованных очков. Это будет ощутимый удар по экономике, и мы считаем этот способ восстановления зрения преждевременным для Японии».

Внимание, ответ!

Закон экономики таков: потребитель не должен исчезнуть!

Если Вы выздоровеете или, Боже упаси, умрете, то за очками не пойдете. Не так ли? Существует целая сеть организаций и структур, заинтересованных в плохом зрении людей.

Несколько лет назад, когда один из моих учеников решил открыть свой учебный центр по восстановлению зрения, он, к несчастью, оказался рядом с фирмой «Оптика». Ему деликатно сказали: «Не лезьте в наш бизнес! Не отбивайте наших клиентов!»

Значит, дражайший мой, я Вас поздравляю, Вы клиент! И если считаете, что Ваше здоровье кому-то нужно, то глубоко ошибаетесь.

Как раз наоборот, благодаря Вашему плохому зрению производители очков, лекарств зарабатывают большие деньги, делая вид, что заботятся о здоровье, имидже и т. д. Они каждый раз предлагают изменять внешность, искусственно создают моду, специально поддерживают потребность постоянно менять очки.

У нас из ста человек — сто восстанавливают зрение. И делают это не только просто! О-о-чень просто!

Обиднее всего, что для восстановления зрения большого ума не надо. Того, что у нас есть, хватит вполне, даже лишнее останется!

Нужны знания и добросовестный труд. Все!

Значит, если Вы окончательно решили: «Хватит! Хочу избавиться от очков и собственными стараниями восстановить зрение!», — то для этого нужно столько силы, сколько Вы потратите на одно «тьфу!».

Только надо знать, как и куда плюнуть. Все! Конечно же, нужно будет еще потрудиться. Для сбора слюны во рту надо не только мозгами шевелить!

ТОГДА Я СКАЖУ, над чем Вам придется работать

А Вы ответите:
«О-о-ой-о-е-е-ей! Ох-ох-о-о-о!
А работатъ-то как не хочется!!!»

Первое. Познакомиться с ленью, во многих скрытых формах ее проявления.

Второе. Изучить искусство созидать.

Третье. Застраховаться от всевозможных ошибок на пути к цели.

Четвертое. Привести в порядок опорно-двигательный аппарат, укрепить мышцы, наладить работу внутренних органов, провести коррекцию зрения.

Пятое. Разобраться со своими переживаниями, проблемами и стремлениями.

Вы можете возразить: зачем, мол, мне заниматься позвоночником, если у меня миопия, катаракта или атрофия зрительного нерва? Я соглашусь с Вами, если докажете, что Ваши глаза совершенно изолированы от прочих органов, находятся вне Вашего организма, т. е. на комоде. Не можете? Это даже ежу ясно!

Наша задача — устранить причину недуга. Если причина на уровне «тесного ботинка», зачем дорогими лекарствами лечить голову?

Вот представьте такую ситуацию. Сидят в очереди на прием к окулисту десять человек. У всех, скажем, одинаковый диагноз. Врач назначает примерно одно и то же лечение, с незначительной разницей. Но люди-то непохожи, и причины, повлекшие за собой заболевание, тоже разные.

У одного пациента недуг инфекционного происхождения.

У другой — муж алкоголик и каждый вечер «концерт по заявкам радиослушателей» закатывает. Глаза бы на него не смотрели!

Третья — старая дева, разобиженная на весь белый свет.

А вот хилый дребезжащий интеллектуал, отрастивший пудовые мозги за счет тела.

Рядом худенькая дамочка, всего-навсего 150 кг. У нее «желудок давит на глаза». И у всех одно и то же заболевание!

Так что же, всех под одну гребенку? Причинно-следственную связь, существующую в каждом конкретном случае, игнорировать нельзя.

У Авиценны был очень старательный, новоиспеченный ученик. Однажды к великому лекарю привели слепого.

Учитель сказал, какие компоненты смешать, чтобы получилось две лепешки. Тот сделал все точь-в-точь, как было сказано. К глазам больного приложили лепешки, и на другой день тот прозрел.

А сосед горе-ученика тоже был слепой. Вдохновленный таким успехом, подмастерье приготовил в точности такие же лепешки и положил ему на глаза. На следующий день у незрячего соседа глаза вообще вытекли.

Этот добросовестный идиот прибежал в слезах: «Как же так, Учитель, я сделал, как ты сказал в прошлый раз! Почему это случилось?»

В глубокой печали мудрец ответил: «Слепота бывает от разных причин: от сухости организма, от влажности, от жары, от холода и т. д. У тысячи слепых бывает тысяча причин. Иди, сынок. Тебе работать только пекарем».

А возьмем, например, варикозное расширение вен. Как лечить — лекарствами, мазилками, может, скальпелем?

А что, если причина находится в малом тазе, ну, скажем, неполадки с половыми органами — хронический застой крови. Что? Лечить половые органы или кишечник?

Но ведь просто так застои в тех органах не случаются. Они могут быть вызваны воспалительными процессами, искривлением позвоночника, нервным переутомлением, стрессами и т. д.

Лечить нервную систему надо? Да, но стрессы тоже бывают чем-то вызваны, например, неполадками в семье, на работе и т. д.

Муж гуляет — у жены стрессы вызывают цепную реакцию и результат — варикозное расширение вен. Что делать? Часто дамы отвечают хором: «Поменять мужа!»

Цыц, женщины, когда говорит мужчина! Тут еще надо разобраться, почему муж гуляет! Не потому ли, что от его жены пахнет хвоей?

Да не о хвойных ваннах речь! Просто она лежит рядом с мужем, как бревно, благодаря строгому воспитанию в пионерском возрасте!

Слышу ваш возмущенный крик, дорогие дамочки, что, мол, нет фригидных женщин, а есть ни на что не способные мужчины!..

Поспорю с Вами на эту тему в одной из следующих книг, под названием «Замужем, но хочется...», которая уже готова к выпуску. А сейчас мы отошли от нашего основного разговора.

Получается странный лабиринт: чтобы вылечить ноги, надо убрать «бзик» из головы. И так в каждом конкретном случае. Человеческий организм феноменален и требует комплексного подхода — здесь нет и не может быть мелочей. Поверхностное отношение недопустимо. Убираем причину — следствия исчезают сами.

Вот почему эта система оздоровления столь эффективна.

Освоив ее, Вы не только поправите здоровье, но и сумеете раскрыть себя как личность, проявить творческие способности, найти дело по душе и стать богатым, и не только духовно. Но этого Вы добьетесь только при одном условии — познавая себя.

Познавая себя — познаешь Бога!

Здесь нет ничего фантастичного, это реальность, и тому есть множество примеров. Приведу один из них.

Как-то на курсе одна дама, не выдержав моей болтовни о реализации стремлений, вскочила с места и стала возмущаться, что пришла она сюда не для того, чтобы поправить свои финансовые дела или улучшить внешность — в эти бредни она не верит! А для того, чтобы избавиться от проклятой болезни.

Какие тут, к лешему, мечты?! Одиночество, тоска, нет ни мужа, ни детей, мизерная пенсия, жизнь прошла. Впереди — доживание.

В общем, осталось только вытащить носовой платок — так это звучало трагично, жалостливо и вместе с тем гордо.

А у меня чуть было не сорвалось: «Дура! Если бы ты не ныла, а пошевелила мозгами...»

Впрочем, она пошевелила мозгами, да еще как! С того момента прошло восемь лет. Сегодня эта женщина выглядит не старше сорока. Вышла замуж. Но не в этом дело.

Она воплотила в жизнь спрятанные за семью печатями свои заветные мечты: открыла две бесплатные частные школы для особо одаренных детей, где работают высококвалифицированные педагоги.

Откуда она берет деньги на все это? Ну, конечно, из тумбочки!

Как из 62-летней зануды и развалины она превратилась в деловую энергичную женщину с приятной внешностью?

Скажу только — это одна из наших учениц. Одна из очень многих, достигших в жизни тех высот и возможностей, о которых даже не помышляла. А начали все они с главного — в первую очередь, с борьбы против собственной лени, и одержали ПОБЕДУ! Но о лени мы еще поговорим.

Те цифры, которые Вы сейчас увидите, сразу вызовут у Вас сомнения, потому что так не бывает.

И я тоже, находясь на Вашем месте, согласился бы с Вами.

Но как мне быть, если этот результат постоянный, т. е. 100 случаев выздоровления из 100 по многим глазным заболеваниям! Не это ли главное свидетельство эффективности системы?

Именно практические результаты помогли ей прочно занять передовые рубежи на мировом уровне. От всей души желаю своим коллегам такого же успеха.

Вы можете сказать, мол, как это так, одно «лекарство» от всех болезней?! Ерунда какая-то! Да, Вы правы, панацеи в природе не бывает. Но главный секрет, который лежит в основе системы, — это способ поведения больного, его отношение к себе и к жизни.

Если к тому лечению, что назначает врач, добавить это отношение, то Вы вместе объединяете свои усилия против болезни. Ваш успех — гарантирован!

Приведем из большого списка заболеваний некоторые широко распространенные, в том числе и неизлечи-

мые в официальной медицине, которые показали рекорд-
ный стопроцентный результат восстановления зрения.

**Атрофия зрительного нерва, миопия, астигматизм,
разного рода дистрофии, катаракта (даже есть хорошие результаты при искусственном хрусталике), даль-
тонизм, глаукома и т. д.**

Может быть, Вы скажете: «Не верю!» Тогда сразу
разрешите культурно изложить мнение на Ваше
сомнение.

Чихать я хотел на Ваше сомнение! Факт есть факт!
Верите, не верите, от этого результат меньше не станет.

И хотя я не равнодушен к тому, что один недоверчи-
вый очкарик не бросит очки, но это никак не отразится
на результативности системы.

От Вашего неверия сотни тысяч людей не станут опять
очкариками. Так что можете оставаться при своих убеж-
дениях и продолжать носить «унитазики», «гоночный
велосипед» или, что то же самое, — очки на носу. Закройте учебник, не мучайте ни меня, ни себя! Вас и так
хватает в жизни.

Я не ставлю задачу повлиять на чье-то мнение, при-
влечь к себе внимание, а просто делюсь своими наработ-
ками и достижениями. Выбор для себя Вы делаете сами.
У меня за плечами многолетний, выстраданный опыт,
который никто не отнимет.

Еще раз повторяю: от Вашего отношения к системе
ее эффективность ничуть не уменьшится!

Отпускаю Вас с миром, и оставьте все в своей жизни
как есть, если Вы получаете оргазм от самоистязания!

Работая с хроническими больными по десять часов в
день, на протяжении многих лет, пришел к внутреннему
убеждению: очкарик выбросит очки в корзину, если он
пошевелит не только мозгами, но и тем местом, куда
прикреплены ноги.

Положительный результат и успех в жизни во всем будут ходить, как тень по пятам, как банный лист липнуть к одному месту. Так говорят в народе, да? Вы, наверное, возмутились моей бесцеремонностью?! Ну что ж!..

В аудитории русскоязычных слушателей я иногда произношу слово «хрен», а потом спрашиваю: «Кто согласен с тем, что это грубость?» И, как правило, несколько слушателей обязательно поднимают руку. У них возникают свои ассоциации с этим словом.

Но ведь хрен — это растение, из которого делают острую приправу. А что в таком случае у наших сокурсников в голове? Какой-то другой образ, то есть образ грубости.

Спешу обрадовать Вас: что несете в своем сознании, то и видите в окружающем мире, то и притягиваете к себе.

Что можно увидеть такими глазами, как у престарелой полудохлой коровы, а?

Человек для оправдания своего бездействия, ради собственной лени будет искать внешние причины, обвинять кого угодно и что угодно, но он обязательно отыщет мнимого виновника своих неудач, понимаете?

Если поняли, значит, Вы ничего не поняли. Там, где есть понимание, там отсутствует приобретение знаний.

Надо чувствовать, а не понимать!

Если человек каждой клеточкой, каждым сосудиком влюблен в жизнь, всеми фибрами души и силой воли стремится выжить, то он ничего, кроме шанса выздороветь, не видит.

Поэтому всегда пациенту даю право выбора между своими амбициями и убеждениями или здоровьем и полноценной жизнью ЧЕЛОВЕКА с большой буквы. Как?

Сейчас расскажу. Заодно и проверим, прошли Вы проверку или нет. Чтобы Вы смогли определить это для себя, предлагаю Вам одну историю.

Еще в советское время мы с коллегами провели учебно-оздоровительный курс, который вначале рассчитывали завершить через полгода, а в результате процесс длился около двух с половиной лет.

Уже тогда я выявил закономерности поведения хронических больных и причины, которые заставляют их со знаменем в руках идти к гробу.

И первое, что я понял, — мозги хронического больного похожи на желудок: что бы Вы туда ни бросили, всегда получается одна и та же конечная продукция.

Для участия в занятиях были приглашены больные, приговоренные современной медициной к смерти как безнадежные, но еще более-менее стоящие на ногах.

Мы разослали шестьсот приглашений людям, умирающим от одного очень страшного заболевания на стадии, когда медицина бессильно опускает руки.

Из их числа нужно было отобрать тех, кто будет цепляться за жизнь.

Как Вы думаете, какой ажиотаж поднялся по тем временам?

В приглашении было написано: «У Вас есть реальный шанс восстановить здоровье. Встреча через месяц по такому-то адресу» и дальше несколько подписей главных специалистов Горздрава.

Сколько человек пришло? Как Вы думаете?..

Настал назначенный день. Психологами был составлен специальный тест на «вшивость характера», с помощью которого приглашенные в первый же день должны были сделать выбор — остаться или уйти.

Но если они уходили, то с абсолютным внутренним убеждением, что они делают это по собственной воле.

С тех пор такой способ отбора слушателей я применяю постоянно на Днях открытых дверей. И знаете, как это хорошо помогает сохранить здоровье педагогов, избавляя их от общения с «кровопийцами»!

В подготовке мероприятия приняли участие семь психологов. У шестерых моих коллег была задача находиться в фойе и разговаривать с каждым из уходящих. Обратите внимание! Не с приходящим, а с уходящим!

Когда прибыла врачебная комиссия, то подняла бунт: «Почему такой маленький зал?! Мы же сказали, что пригласили шестьсот человек, а будет где-то полторы-две тысячи, потому что приглашенные наверняка приведут родных, знакомых. Если кому-то в этой давке будет плохо, прямо отсюда пойдете на скамью подсудимых». Аудитория-то была снята только на пятьдесят мест.

Мне пришлось им сказать: «Уважаемые коллеги, на сегодняшний день я уже знаю, какие больные стремятся, будут действовать и выйдут из болезни, а какие нет. Если из числа приглашенных придет пятьдесят человек, я здесь же перед вами откажусь от своих убеждений».

Пришло на собеседование двенадцать человек.

Откуда я знал, что из шестисот приглашенных пациентов придет не больше пятидесяти? Из опыта проведения интенсивных занятий по всему миру, из исследовательской работы по изучению характера хронических больных-неудачников.

Оказывается, независимо от национальности и социального положения, многих нездоровых людей объединяют одни и те же, присущие только им особенности. Любой из них есть самоубийца, и к тому же самообманщик.

Вы согласны, что хроники в высшей степени лживые перед собой, и таких людей большинство? Нет?! Суть от этого не меняется.

Но возвращаюсь снова к неудавшемуся опыту. Решили перенести его на месяц. Снова разослали письма-приглашения, но уже с уведомлением.

Через месяц пришли семьдесят восемь человек.

Теперь мы должны были провести их через экзамен-отбор. Каким образом?

Моя задача как ведущего заключалась в том, чтобы своими высказываниями, действиями, поведением спровоцировать у них проявление негативных черт характера, которые заведомо будут мешать выздоровлению.

Эти провокации были явно преувеличенными и в то же время скрытыми и выглядели неподдельными, чтобы каждый мог найти то, что он ищет, — повод для безвозвратного ухода.

В течение пяти часов каждый неоднократно, примерно около трехсот раз, был поставлен перед выбором.
Выбирай:
смерть или жизнь,
лень или жизнь,
обиду или жизнь,
амбиции или жизнь,
собственное мнение или жизнь,
читанные перечитанные журнальчики
и книги или жизнь.

Но не в прямом виде, а в косвенном на уровне подсознания.

Весь абсурд ситуации заключался в том, что аудиторию собеседников, с таким трудом собранную, теперь нужно было разогнать. Оставить только тех, кто будет стремиться к выздоровлению, убрав в сторону личность врача и всякие условности.

Цель заключалась в том, чтобы устранить именно тех слушателей из рядов будущих студентов, которые на полпути или в самый последний момент сдадутся болезни и вернутся к старому образу жизни, чтобы с тем и погибнуть.

Есть такая восточная пословица: «Если ребенок хочет какать, как бы ты его ни уговаривал, какие бы песенки не пел, он все равно будет какать».

Если больной не цепляется за жизнь, он всегда найдет повод, чтобы отвернуться от тех рук помощи, которые тянутся к нему. И мои возможности в этом случае ломаного гроша не стоят.

Мы начали проверку на «вшивость» для семидесяти восьми новобранцев с того, что врач-психолог вышел к ним и сказал:

— Вы простите, мы ждем М. С. Норбекова и его команду, они немного опаздывают.

Хотя я там уже находился два часа. Через минут пятнадцать трое встали и с возмущением ушли, потому что у них нет времени ждать! И это у больных, которые приговорены!!!

Чего можно ожидать от человека, у которого всего на полчаса отсутствует терпение! Можно ли будет положиться на него во время работы, если у него нет времени жить?!

На протяжении всего отбора мы специально говорили разные нелепости, грубости. Исходя из того, что мой словарный запас грубых слов и выражений на русском языке был маленький, мои коллеги написали целый ряд хамств. Кому что нужно.

Мы делали ложные перерывы. Люди вставали и уходили. Народу становилось все меньше, меньше и меньше.

Было запланировано пятьсот провокаций на «вшивость характера», после примерно трехсот осталось семнадцать кандидатов на занятия.

Была и такая проверка: «Уважаемые! Наши занятия платные». И называлась сумма, за которую в магазине давали четыре банки сгущенного молока.

Таким образом, мы подсознательно в одну сторону поставили четыре банки сгущенки, а в другую сторону — жизнь. Многие больные, к сожалению, выбрали первое и исчезли после перерыва.

Мы провели жесточайший отсев. В конце концов, из семидесяти восьми осталось пятнадцать человек, которые и начали трудиться, работать над собой.

С теми пациентами, что выдержали испытание, мы работали ровно девять месяцев, потом провели всесто-роннее обследование. Из пятнадцати человек тринадцать были признаны здоровыми. Оставшиеся двое потом еще полтора года сосали мою кровь. Но они тоже выздорове-ли и сейчас, через много лет после проведенной работы над собой, бегают здоровенькими.

Остальные же были готовы «подохнуть» под забо-ром, лишь бы держать свой гонор в оправдание духовной слабости. А на самом деле за этим находилось что?

Лень собачья!

Больной искал всевозможные пути, лишь бы избе-жать работы над собой и, следуя самомнению, амбици-ям, выдуманным ценностям, довольный собой, на самом деле гордо прошествовал к своему гробу.

Через семь лет мы решили узнать о судьбе тех шес-тисот человек, которых приглашали, уговаривали, чуть ли не на коленях просили пройти учебу.

В общей сложности, включая моих пятнадцать выда-ющихся личностей, в едва живых осталось двадцать шесть.

Это и есть самая большая трагедия: из шестисот че-ловек только пятнадцать цепляются за жизнь. Это одна сороковая часть, а остальные находят любой повод и, даже умирая, отвергают жизнь. А сами кричат: «Жи-и-ть хочу! Ох, как хочу! Какой я несчастный!»

Разве можно им верить? Не ве-рю!

Недавно я разговаривал со слушательницей, которой два года тому назад врачи давали несколько месяцев жизни. К моему огромному удовольствию она пришла сообщить мне, что страшный диагноз снят!

Чтобы не вызывать ажиотаж, я не называю его. К сожалению, это заболевание сегодня распространено. Но суть не в этом, а в том, что все можно победить. Все!

Скажите, пожалуйста, не кривя душой, Вы на самом деле готовы быть тем, кем хотите, т. е. здоровым?

Ну, о-о-очень хотите, но палец о палец ударить не желаете? Хорошо! Так и быть! Тогда сейчас Вы увидите материализацию своих желаний.

Суперупражнение для балбесов

Поставьте перед собой ладонь на уровне лица, расстояние от глаз должно быть не более тридцати сантиметров.

Согните кисть таким образом, чтобы пальцы указывали на грудь. Растопырьте их на одинаковое расстояние. Примите умное выражение лица надутого индюка!

Теперь положите большой палец между указательным и средним, и быстро сожмите кисть в кулак. Хорошенько полюбуйтесь. Каков результат этой материализации, а?

Хотеть — не вредно! Все хотят быть здоровым, богатым, красивым, счастливым. А когда дело касается конкретного шага...

Вот Вы сидите в кресле и хотите встать, что происходит? Да ничего, для того чтобы встать, необходимо действие, надо оторвать свою попку от мягкого кресла. Всего-навсего!

Вам еще не надоело читать книгу? Если нет, то идем дальше.

ЗАДУМАЙТЕСЬ,
неужели Вам очки к лицу?!

Если красиво пристроить кастрюлю на голову, консервные банки на уши, а веник в нос, как кольцо у быка, и сделать томный взгляд, как у коровы, Вы тоже будете смотреться ого-го себе.

Ну что, очкарик! Значит, все-таки Вы решили бросить очки!

А зачем?

Вам эти «унитазики» к лицу!

В очках Вы кажетесь таким умным. Если снимете их, сразу будет видна Ваша истинная внешность. Может быть, лучше скроем ее, а?

Вам попадаются люди, которым очки очень идут? Вот и мы иногда встречаем таких пациентов из числа своих слушателей.

Они говорят:

— Я очень хочу бросить очки, о-очень хочу!!! Но понимаете, без очков я выгляжу намного некрасивее!

Глупость, когда широко распространена, имеет тенденцию к совершенствованию, и каждый человек начинает стараться в этом преуспеть.

Если все вокруг будут ездить в инвалидных колясках, среди них тоже начнутся соревнования. У кого шикарнее? Кто в заморской коляске со всеми хромированными деталями, выглядит намного красивее, чем рядом сидящий в старой задрипанной колымаге.

Но оттого, что она красивая, или с электрическим моторчиком, или... или... или... суть коляски не меняется. Ничто никогда не может заменить свои истинные ноги.

Любой, кто ходит на костылях, какими бы они красивыми не были, мечтает иметь свои ноги. Очки — это и есть костыли для глаз!

А Вы никогда не интересовались, какое чувство возникает у людей с хорошим зрением по отношению к тем, кто носит очки? Спросите любого!

Оказывается, на глубоком подсознательном уровне это вызывает легкое чувство жалости, как к немного неполноценному человеку.

То есть, какими бы красивыми не были Ваши «унитазики» на глазах — это все же костыли. Значит, придется согласиться с тем, что очкарик — это есть физически неполноценный человек, как бы он ни хорохорился.

К лицу очки никогда не идут! Не было случая, чтобы костыли были к лицу.

Теперь, что мы имеем? Факт, который налицо и на лице. Факт, на который нельзя закрыть глаза, — Вы много лет носите очки и много лет пытаетесь, а может быть и не пытаетесь избавиться от них. Но желание-то до сих пор не реализовалось! В чем кроется секрет ошибок?

ФОРМА И СОДЕРЖИМОЕ детского горшочка, который Вы не случайно надели на голову!

«Нас трое: ты, я и болезнь...»
Может, сообразим на троих перед
расставанием с болезнью?!

Рассмотрим один из случаев, что может удерживать нашего бедолагу в недуге.

Разберем такую ситуацию. Врач мне назначил таблетку. Я открыл колодец, пардон, рот, бросил туда таблетку, подождал, пока она плюхнется, и сижу.

Ждем-с!

Какие самые распространенные мысли у меня в голове могут быть, как Вы думаете? «Поможет — не поможет? А что, если не поможет?! Скорее всего, нет, потому что уже много раз не помогало».

Вопрос: я участвую в выздоровлении? Нет.

Больше того, мое пассивное ожидание результата или, еще того хуже, сомнение оставляют врача один на один с моим недугом.

И если я сам не участвую в выздоровлении, то может ли врач в одиночку победить мою болезнь? Даже если у него семь пядей во лбу, он обречен оказаться неудачником в попытке вылечить такого больного, как я.

Победит только, наверное, хирург, который, спрашивая или не спрашивая, ампутирует какой-то орган и все. Нет органа — нет проблем.

Значит, я буду радоваться после того, как получу положительный результат, а пока — ждем-с. Осанка и мимика (т. е. «мышечный корсет») будут какими? Соответствующие мыслям — «ждем-с»! Нормальное поведение нормального хроника-неудачника. А почему я так поступаю? Потому что все делают так. Бе-е-е!!!

Это одна из закономерностей застревания в болезни.

С точки зрения разума я поступил абсолютно правильно. А разум способен созидать? Нет! Он только сохраняет созданное.

Разум опирается на логику. Логика — на факт. А факт выздоровления есть или нет? Факт — мы болеем.

Круг замкнулся. Выхода нет. Вот этот заколдованный дьявольский круг нужно разрушить. Как его разорвать?

Сделайте так: примите внешний облик счастья, то есть мимику сытого людоеда и осанку важного индюка, а дальше произойдет синхронизация внешней формы и внутреннего состояния.

Искусственно в душе создайте радостное ожидание того, что, когда проглотите таблетку, выздоровеете.

Проглотили?

Теперь представляйте себя таким, каким хотите быть, и продолжайте искусственно увеличивать в себе это радостное состояние, подключая силу духа. Желание будет исполняться.

А что собой представляет цепь, удерживающая хронического больного от выздоровления?

Рассмотрим скрытые мотивы поведения хроника.

Все его подсознательные поступки, шаги в большинстве случаев работают на защиту своего недуга. Да, да, как это ни парадоксально, но это так! Вся его сущность восстает против выздоровления, а значит, и против врача, который пытается помочь.

В этом случае они оба — и врач, и больной обречены на провал. Так продолжается постоянно, из месяца в месяц, из года в год.

С каждым разом шанс выздоровления уменьшается, уменьшается, уменьшается, потому что болезнь будет все глубже впитываться в сознание, в каждую клеточку тела, в каждую фибру души. Десятилетиями больной поступает одинаково и повторяет одно: «Хочу, хочу, хочу быть здоровым».

Когда пациент верит и ждет, что его кто-то вылечит, врач остается один на один с его недугом. Именно в этом кроется один из секретов хронических неудач во всех сферах жизнедеятельности.

Принцип поражений в жизни, отставания от жизни, разрушения жизни, принцип конфликта с окружающим миром примерно один и тот же, схема приблизительно одна.

А сейчас прислушайтесь к себе и подчеркните под этой классификацией ту, которая более всего соответствует Вашему внутреннему состоянию. Будьте искренними сами с собой. Выберите только один ответ из списка, иначе у Вас добавится еще один диагноз — «раздвоение личности», т. е. шиза.

Итак, Вы:
1. хотите ослепнуть;
2. не хотите видеть лучше;
3. не верите, что будете видеть лучше;
4. сомневаетесь, что будете видеть лучше;
5. надеетесь;
6. верите;
7. знаете;
8. будете видеть лучше;
9. видите хорошо.

Пока Вы не выберите что-либо из этого списка, не забегайте, пожалуйста, вперед. Необходимо знать, на какой отметке шкалы Вы находитесь в данный момент.

Уверен, Вы не подчеркнули строчку «хочу ослепнуть». Может быть, отметили что-то другое. Например, «надеюсь», или «сомневаюсь», или «не верю».

Тогда знайте! Как психолог, Вам скажу — эти ответы ничем не отличаются от слов «хочу ослепнуть».

«Не верю» ничем не отличается от «сомневаюсь». Это та же какашка, только в фантике. Просто, если я говорю «сомневаюсь», то выгляжу более умным. А на самом деле то же самое содержимое я заворачиваю в красивую обертку и все. Суть от этого не меняется!

Границей между здоровьем и нездоровьем является вера. Это нейтральная зона.

А теперь обратите внимание, кто-то говорит:

Я верю, что буду видеть хорошо...

Вы можете ему спокойно сказать:

Ну и верь ради Бога!

Представьте себе, вот я сейчас рядом с Вами сижу, сладко позевывая, чешу свое пузо и завожу вечно играющую пластинку с завыванием:

«Я верю, что буду здоро-о-вым»,

«Я верю, что буду бога-а-тым»,

«Ой, я верю, что буду счастли-и-вым. Где моя подушка?»

Вы чувствуете, чего-то не хватает? А-а? Чего же?!

ДЕЙСТВИЯ не хватает! Согласны?

А если мне зададите вопрос:

Когда ты хочешь стать богатым?

Я начинаю мычать... Нужно же что-то ответить! Согласны?! ВЕРА ОБЯЗЫВАЕТ! Если верите в то, что будете здоровы, но палец о палец не ударяете, — значит, Вы инертны.

Там, где врач оказывается один на один с болезнью — выздоровления нет. Когда ждете, надеетесь, Вы не только инертны, но и оказываетесь на стороне болезни.

Если сомневаетесь, то уже активно сопротивляетесь выздоровлению.

Не верите — ну, извините, о чем тогда можно говорить?!.. Если Вы хотите подохнуть от этой болезни, о каком выздоровлении может идти речь?!

Давайте сейчас поменяемся местами.

Вы врач — я больной.

Я Вам говорю:

— Доктор, я о-очень хочу быть здоровым, ну о-очень, но, понимаете, я чуточку, самую малость сомневаюсь, что Вы меня сможете вылечить. Но все-таки, прошу Вас, вылечите!

Ну как Вы себя чувствуете? Не появилось ли желание набить мне морду? Возьметесь лечить меня? Если да, то Вы обречены на провал!

Такого больного, как я, почти невозможно вылечить, потому что он в союзе со своей болезнью во много раз сильнее Вас как врача.

Авиценна говорил: «Нас трое: ты, я и болезнь. Чью сторону возьмешь, та сторона и победит».

Что же касается других ответов типа «сомневаюсь», «надеюсь» и прочее, то все они по своей сути не отличаются друг от друга. Вы просто-напросто ищете лазейку для того, чтобы не предпринимать никаких действий.

Вот, например, чтобы сомневаться, Вам нужно знать всю медицину, психофизиологию, все скрытые возможности человека.

Вы в этом разбираетесь? Нет! Тогда не выпендривайтесь и не говорите: «сомневаюсь!» За этими словами нет ни одного факта, ни одного подтверждения, за этим находится подсознательная мотивация в оправдании своих действий, направленных на НЕ-выздоровление!

Если Вы выбрали ответ «надеюсь», то скажу, что попали в самую удивительную группу читателей. Знаете ли Вы **почему надежда умирает последней**? Я покажу, как она работает.

Это высшая форма иллюзии, великая пустота. Вот сейчас я приму слащавый облик надежды и буду готов ответить на любые Ваши вопросы!

Задавайте мне вопросы: «Почему..? Когда..? Как..? Где..? Зачем..?» и т. д.

На все вопросы один ответ: «Не знаю, родной мой, не знаю. Надейтесь!» Если требовательно, стуча кулаком по столу, будете истошно орать: «Ну, когда-а же, когда-а-а?!» Так же, как Вы, с ревом прокричу: «Хрен его знает! Надейтесь!»

Надежда никогда и ни к чему не обязывает. «...Вся жизнь впереди, надейся и жди!» Понятно?

Так почему же надежда умирает последней? Потому что ей, этой лживой стерве, уже некого убить! Убив своего хозяина, эта сука поймет, на каком суку сама сидела, и какой сук она обрезала! Так что надейтесь, надейтесь, надейтесь...

Предлагаю Вам вопрос на засыпку: **Вы хотите снять очки, восстановив зрение?**

Запомните свой ответ.

ПОЧЕМУ ИШАКА называют ОСЛОМ?

Косточка, выковыренная из многоразовой общественной жевательной резинки!

Действительно, почему ишака называют ослом? Да именно за глупость и упрямство.

Если его привязать то-о-ненькой веревочкой к маленькому кустику, он через какое-то время, когда жажда и голод заявят о себе, начнется тянуться в сторону источника: «Хочу есть, хочу пить...» Под копытами образуются глубокие ямы. И так будет продолжаться до тех пор, пока он, в конце концов, не подохнет.

Хочется ему сказать: «Ну ты, ОСЕЛ! Ты хоть посмотри, что тебя держит?!!» Если бы он догадался хотя бы взглянуть в ту сторону, ему бы ничего не стоило освободиться. Но не тут-то было! Он дальше, дальше и дальше будет тянуться с тупым упорством. Хочу-у, хочу-у, хочу-у...

А Вы почему столько лет хотели быть здоровым и до сих пор только хотите?!

Чем Вы тогда отличаетесь от этого осла? Только тем, что он через два дня подохнет, а Вы еще 100 лет будете говорить: «Я хочу быть здоровым. Я хочу снять очки».

Очень, ну очень хотите?! Издавна жаждете! Да?!..

Хочу-у-у, хочу-у-у!
Хочу-у-у, хочу-у-у!

Поймите, я Вам не судья, не воспитатель! Вы сами человек высокообразованный и понимаете, к чему я клоню.

А Вы не задумывались над тем, **что значит «хочу»**?

Если я хочу есть, значит, подсознание дает сигнал: «Я голоден». Что же получается?

Я каждый день буду говорить: «Хочу быть умным. Хочу быть здоровым, богатым, счастливым!» Это означает, что ежедневно на уровне подсознания констатирую: «Я глупый, больной, бедный, несчастный!»

По влиянию на человека, на всю его сущность подсознание имеет огромнейшее превосходство над сознанием. Это громадный архив, где хранится абсолютно вся информация о нашей жизни.

Подсознание — гений и идиот, сила и бессилие, успех и поражение, здоровье и болезнь в одном лице. Ежедневные поступки, действия, привычки, входя в подсознание, попадают в хранилище так называемых бессознательных, т. е. автоматических действий.

Вспомните, когда Вы только начинали учиться кататься на велосипеде. Сначала все происходило на уровне сознания. Как надо держать руль, как крутить педали, куда ехать?

Поначалу получалось, прямо скажем, неважно. Руль держите, про педали забываете или наоборот. И бывало, единственное на пути дерево непременно треснет Вас по башке, а ближайшая канава гостеприимно пригласит Вас отдохнуть.

Но каждый день, садясь на велосипед, Вы вырабатывали привычку ездить на нем, которая со временем отложилась в подсознании. И теперь, когда Вы умеете это делать, то никогда уже не разучитесь. Точно так же, как, однажды научившись плавать, Вы сохраните эту способность навсегда.

Теперь Вы понимаете, каким образом столько лет обманывали себя? До того дообманывались, уважаемый доктор самообманных наук, что сами поверили в свою правоту!

ШУТКИ В СТОРОНУ!
Один из ключей к системе!
Основной закон творческой импотенции.

«Норма» равна железной логике. Зубы не сломайте!

Н аходясь на моем месте, работая много лет и день ото дня встречаясь с сотнями и тысячами людей, у Вас тоже выработался бы навык мгновенно отличать матерого неудачника в жизни от человека, который обречен на успех и вместе с тем зависть вышеупомянутых.

Изучение хронического больного, хронического неудачника, как я уже говорил, — это моя стихия.

Так, исследуя, сопоставляя и обобщая, пришел к выводу, что, осознанно изменяя любой стереотип поведения, можно улучшить свою жизнь и отношения с окружающим миром.

Вы считаете, что ад находится где-то, куда попадают после смерти? Ошибка, родной мой, ошибка!

Ад и рай находятся на земле, в самом человеке и вокруг него.

Ад со всеми его кипящими котлами, раскаленными сковородками, пылающими кострами, а также уставами, законами, приемами каждый день люди создают сами.

И Вы тоже, мой рогатенький и хвостатенький, в этом созидании участвуете и каждый день вносите свою лепту в расширение преисподней.

Обогащая тот мир своими неудачами, ненавистью, злобой, неприязнью, нытьем и, конечно, болезнью, Вы показываете пример и передаете свой опыт.

Чтобы усовершенствовать опыт, приглашаю Вас на курсы повышения квалификации. Если Вы раньше неосознанно, методом тыка кастрировали себя, как творческую личность, то, изучив уловки логического мышления, Вы можете по желанию осознанно увеличить КПД по разрушению своей жизни во много-много раз.

Милости прошу на концерт хора-капеллы биологических роботов, у которых произошло короткое замыкание на транзисторах меж ног, пардон, в голове.

Займите свое место в зале, согласно подаренному сатаной билету.

Положите ногу на ногу, руки скрестите на груди, на лице — выражение начитанного умника, глаза чистые и бесстыжие.

Внимание! Занавес открывается. За занавесом весь мир, море людей, которые составляют 98% всего населения земного шара.

Элегантной походкой, с чувством собственного достоинства повелителя, правящего миром, в шикарном смокинге выходит сатана и елейным голосом профсоюзного деятеля общества любителей ассенизаторов, объявляет:

— Ария «Логика». Музыка господина Неандертальца, слова народные. Выступает весь мир.

Заиграла величественная музыка, вступил хор.

Всюду слышны фанфары, скрипки и скрип конторских дверей; перекрикивание сопрано, баритонов и теноров; смех и стоны вперемешку со звуками отрыжек;

ахи-охи, вздохи; вопли, разговоры и временами звук спускающейся воды в унитазе.

Такое многоголосье слилось в один рев сатанинского хора: «Ты дай мне, ты дай мне, ты дай мне... Тогда поверю, поверю, поверю... И порадуюсь, утешусь, возрадуюсь... А пока надеюсь, надеюсь, надеюсь... жду-с!»

Этот концерт вечный, так что Вы не расстраивайтесь, если опоздали. Да Вы и сами в нем солист.

ЛОГИЧЕСКИЙ ПОДХОД
Принцип такой:
ты вначале мне дай,
а потом я скажу «спасибо»

— Ты куда ведешь нас, логика?
— По дороге в никуда!
Но зачем туда идти, если Вы
уже там находитесь?!

И действительно, это же ненормально говорить «спасибо», пока Вы ничего не получили? «Спасибо» скажете тогда, когда получите результат!

Десятилетиями больной пытается выздороветь, подходя к решению проблем здоровья логически. Он говорит: «Вначале ты мне подавай здоровье, а потом я поверю в результат и порадуюсь».

С точки зрения нормального человека, он поступает абсолютно правильно, т. е. радуется только после того, как увидит результат. Это логично!

Эффект получен, вера появляется, потом настроение улучшается и, естественно, «мышечный корсет» (осанка и мимика) будет как у победителя. Лицо становится довольным, сияет улыбкой. А пока рыло умное совковой лопаткой: «Сомневаюсь!» Подавай ему нормальный задний проход без геморроя. Вот схема поведения типичного несчастливца.

Я сомневаюсь, не верю, надеюсь и т. д. и т. п.
Ты вначале:

Подавай мне результат

↓

потом поверю

↓

тогда будет хорошее настроение

↓

и «мышечный корсет», свойственный
счастливому человеку.

И действительно, как я могу уверовать в свое выздоровление, если несколько десятилетий здоровья не видал, как своих ушей? Не верю!

Раз не верю, значит, мой организм не мобилизован, раз не мобилизован, значит, я не выздоровею, и у меня появится еще более убедительный аргумент для неверия.

Все! Круг замкнулся. Капкан захлопнулся.

Вот это логика смерти, логика самоубийцы, это логика несчастного неудачника. Он прав, еще ка-а-к прав со своей колокольни, со своего болота. Но в этом болоте, кроме застоявшейся вони, ничего нет!

ГДЕ ПУТЬ, ВЫХОД, ПРОХОД К ЦЕЛИ?

В заде, родной мой, в заде!

Нужно стать чокнутым с точки зрения нормальных, т. е. больных!

Вы готовы поставить все вверх ногами? Тогда осуществим абсолютно нелогичный подход к логичному застреванию в недуге.

Вначале принимаем «мышечный корсет», т. е. выпрямляем спину, расправляем плечи и растягиваем рот до ушей. Другими словами, сознательно создаем осанку и мимику ПОБЕДИТЕЛЯ.

Затем искусственно вызываем внутреннее состояние радости.

Дальше формируем мысленный образ выздоровления — усилием воли заставляем себя поверить в успех выздоровления.

При таком поведении результат сам собой, даже не спрашивая Вашего разрешения, будет всегда при Вас!

Посмотрите примерную формулу действия «необычного» человека, который обречен на успех:

волевое принуждение

↓

мышечный корсет

↓

настроение

↓

вера

↓

результат!

Проверим, как работает настроение? Вот сейчас создайте на лице улыбку. Пожалуйста!

Это у Вас улыбка называется?! Да-а-а!!!..

А ну-ка, показываем все зубы. Если зубов нет, пожалуйста, десны покажите.

Живот подтяните, оторвите его от коленных чашечек! Не подтягивается, да?

Головой устремляемся к потолку. Тянемся, тянемся, тянемся макушкой. А теперь плечами. Еще, уходим вверх-вверх-вверх. Хорошо!

Вопрос! Где произошло сужение?

В том участке, где теоретически должна быть талия. Отлично! Так и сидим с этой идиотской искусственной улыбкой.

Что произойдет?

Возникнет несоответствие.

Центр обработки информации спрашивает у мышц:

— Вы что это рожи корчите?

Мышцы говорят:

— А что нам остается делать? Волевой центр заставляет!

Если «мышечный корсет» меняется, то вынуждены меняться эмоции и мысли, т. к. происходит их синхронизация с эмоциональным центром.

Вот мы и подошли к сути действия механизма.

Существует центр синхронизации мышц, настроения и мыслей. Проще говоря, эмоции передаются в мозг через кровь и влияют на наше состояние.

Представьте такую ситуацию. Три часа ночи. Его (или ее) нет дома. Вы в ярости составляете план Барбаросса: как он (она) придет, что Вы скажете, чем и по какому месту стукнете...

Предлагаю поучаствовать в эксперименте.

Подойдите к зеркалу, изобразите, пожалуйста, фальшивую улыбочку и постойте так пять минут. Через пять минут Вы начнете радоваться, и мысли тоже преподнесут Вам сюрприз.

Вы вдруг заметите, что радуетесь тому, что его (ее) нет дома.

Существуют три брата. Это мыслительный центр, центр эмоций и центр волевого управления «мышечным корсетом». Они вечно друг другу поддакивают. Если один куда-то «пойдет», другие двое тотчас увязываются следом. Они все время соображают на троих.

Если один скажет:

— Это дура!

Оба, хоть и не согласны, но все равно кивают в ответ:

— Да, да, совершенно верно, она оконченная дура!

Теперь, уважаемый читатель, вопрос на засыпку. Что легче: поднять настроение, изменить мысли или удерживать мышцы в определенном положении? Что проще? Настроение?! Ошибка!

Настроение можно сравнить с ртутной каплей, податливой любому движению и такой же ядовитой (у подавляющего большинства это, к сожалению, так). Его можно удерживать несколько секунд, потом чуть отвлеклись — и оно тут же изменилось.

Кстати! Как сейчас Ваше настроение, а?

Вы скажете мысли?! Опять нет!

Мыслительный процесс напоминает вокзальную площадь в оживленный день! Все снуют туда-сюда, все постоянно находится в хаотичном движении. Попробуйте-ка там похозяйничать, чтобы хоть слегка как-то упорядочить хаос. Бесполезно! Уверяю Вас, Ваши старания уйдут впустую.

Представьте, Вы стоите на привокзальной площади и каждому проходящему говорите: «Ты сюда не ходи, а иди туда. Это мое место, здесь должно быть так, как я хочу». В лучшем случае Вас просто поколотят, а в худшем — отправят в психбольницу!

И вообще, мысли человека нелогичны, всему найдут оправдание. Ими управлять очень сложно.

Значит, пойдем по пути наименьшего сопротивления. **Будем усилием воли управлять мышцами, т. е. удерживать «мышечный корсет».**

Представьте на минуточку, что независимо от того, хорошо ли у Вас на душе или плохо, Вам нужно держать руку в кармане.

Это сложно, как Вы думаете? Это очень просто. Всего лишь держать руку в кармане ради отечества, например! Ну, в общем, ради какой-то цели!

Значит вывод: именно через «мышечный корсет» приступаем к управлению чем? Не только зрением, но и процессом выздоровления в целом.

ЗАЧЕМ НАМ
осанка и улыбка
одуревшего павлина
с обожженной рожей?

Д авайте сейчас уйдем от главной тематики налево! И, надэ-эюсь, отдохнем в горах.

В свое время мне пришлось работать в одной организации, которая обслуживала бывших шишек на ровном месте — номенклатуру.

Хотя все они были уже на заслуженном отдыхе, но все же в нашу организацию приходили с гонором. У них была очень высокомерная, степенная походка, как у ребенка, который давным-давно наложил в штаны и об этом забыл.

Одним словом, сошел с коня, а седло между ног забыл вынуть! Каждого из них мы знали, как облупленного.

Однажды мой коллега, указывая на одного пациента, сказал: «Этот человек здоров». Я не поверил, потому что хорошо его знал. Это бывший министр, который вот уже много лет страдал запущенной формой болезни Паркинсона. Это поражение мозга, знаете, да?

Один из симптомов заболевания проявляется у таких больных в полном отсутствии мимики. Лицо становится маской.

Обследовав его по полной программе, пришел к выводу, что он здоров. Я начал спрашивать: «Где и как Вы лечились?»

Он мне рассказал о каком-то Храме, но, если честно, тогда я не придал этому особого значения. И хотя все записал, через некоторое время благополучно об этом забыл.

На следующий год во время профилактического осмотра мы обнаружили, что к нему присоединилось еще четверо уважаемых стариканов. Они много лет страдали неизлечимыми заболеваниями, а теперь были «как огурчики».

Оказывается, пенсионер-министр их тоже отправил туда, где сам вылечился.

Теперь я был серьезно озадачен. Все это не укладывалось в рамки моего мировоззрения, сложившегося за годы практики.

На этот раз я все подробно расспросил и тщательно записал. Оказалось, что в горах есть Храм Огнепоклонников, где каждые сорок дней принимают группы людей, жаждущих излечения, главным образом летом, потому что зимой туда невозможно добраться.

Во мне созрело решение отправиться туда и увидеть собственными глазами, как происходит чудодейственное исцеление. Мы договорились поехать вместе с моими приятелями: режиссером и телеоператором. Они работали на республиканском телевидении и делали программу «Мир вокруг нас».

В назначенный день к ночи добрались до места встречи. Наша машина уехала. Транспорт для дальнейшего передвижения нам пообещали предоставить. И вдруг узнаем, что этот транспорт — ишаки.

К Храму ведет горная дорога и надо, оказывается, 26 км топать пешком или ехать на ишаках. Но так как мы приехали позже всех, то на троих нам досталось два ишака.

Я начал агитационную атаку. Говорю: «Вы когда-нибудь по горам пешком ходили? Давайте попробуем».

Оператор был очень грузным мужчиной, весом в 130 кг с пятью подбородками и огромным пузом. Но, несмотря на это, романтик в нем оказался еще жив. Поэтому большинством голосов мы первое «препятствие» благополучно преодолели.

Они погрузили на ишаков всю аппаратуру, и мы пошли. Первым начал хныкать я, потому что у меня были городские туфли, которые очень скоро протерлись. Ноги начали болеть. Но я все-таки шел и думал: «Раз такие больные вылечились, то, записав каждый рецепт, я в городе буду великим врачом».

А потом, пройдя десять километров, оператор сел посреди дороги и сказал:

— Все! Хоть убейте, пойду обратно.

Мы его стали уговаривать:

— Какая разница, куда идти? Назад пойдешь, те же 10 км придется топать, что и вперед. Так уж лучше вперед!

Уговорили.

Пришли мы где-то в полночь. Нас разместили, устроили. На следующий день разбудили в 11 часов. Собрали всех и говорят:

— Мы просим вас в нашем Храме не грешить, кто не выполнит просьбу, будет помогать нам по хозяйству — воду носить.

Оказывается, грехом в этом Храме считается ходить хмурым. То-то я обратил внимание на монахов.

Они ходят с такой легкой улыбочкой и стан у них ровный-ровный, как у кипариса, если быть точным, как будто палку проглотили.

Получается, мы должны все время улыбаться. Мы все послушали, чуть-чуть поулыбались, а через две минуты старая привычка ходить с городской физиономией, вечно кислой и недовольной, взяла верх.

И вообще я ожидал увидеть позолоченные купола и тому подобное, а там такие маленькие аккуратненькие домики и все. Правда у них постоянно горит огонь. Они поклоняются огню и Солнцу. Но на Храм совсем не похоже.

Случилось так, что монахи нашли такое место, где из-под земли выходит природный газ, и здесь, на вершине скалы основали свой Храм.

Я начал спрашивать:

— Когда начнете принимать больных, ставить диагноз? Когда начнете лечить?

Узнаю. Оказывается, здесь вообще никого не принимают и не лечат. Это стало для меня первым ударом.

Второе, наш транспорт, т. е. ишаков, забрали хозяева. С такими баулами, как у нас, далеко не уйдешь. Попались!

Мало того, что оказались в Храме, где никто никогда никого не лечил и лечить не собирается, и уехать оттуда не можем! Да еще нужно ходить с дурацкой улыбкой на лице, когда внутри все клокочет от злости и досады!

Вижу, оператор как-то пристально смотрит на меня, как будто что-то задумал. А режиссер с иронией в мой адрес:

— Куда ты нас привел, ученый ты несчастный?..

А мне самому-то каково?!!

Потом начались концерты. Человек пятнадцать из тридцати сразу пошли за водой. Мне тоже досталось, потому что... В общем, сами понимаете почему! Пришлось идти «помогать по хозяйству».

Отвесная вертикальная скала шестьсот метров, а по серпантину 4 км туда и 4 км обратно. Это по такой-то дороге мы поднимались сюда прошлой ночью?!

Когда я это увидел, у меня чуть выкидыш не случился! Представляете? Мало того, что эта вертикальная стена выше Останкинской башни, да еще в некоторых местах мы шли по бревнам, забитым в скалу. Эти бревна действовали как разводные мосты, преграждая в свое время неприятелю путь в Храм.

С собой необходимо было нести шестнадцать литров воды, да пять килограммов весил сам кувшин. В общей сложности вверх по такой дороге нам предстояло тащить 21 кг. Удобнее всего в таких условиях нести груз на голове. Вот тогда-то я узнал об истинном назначении позвоночника.

Позвоночник нужен для того, чтобы голова не упала в трусы!

Я отправился первый раз и вернулся в Храм около четырех-пяти часов вечера очень уставший, но с улыбкой на лице на всякий пожарный случай.

Вдруг ко мне подходит один из монахов и так приветливо говорит:

— Сходите, пожалуйста, еще раз.

— Почему?!! Я же уже сходил!!! — и чувствую, что от ужаса у меня начинаются родовые схватки, несмотря на то, что я мужчина!

— Когда Вы поднимались, Вы уже несли с собой грех.

— Нет, я улыбался! — от отчаяния начал я спорить.

Представьте себе, только что пройти 8 км, накануне — 26 км, без ужина, без завтрака, без обеда. Ноги разбитые, опухшие, гудят от усталости, а тебе говорят «еще раз»!

Подохнуть можно!!!

— Идемте, мы Вам кое-что покажем.

В одном из окон я увидел наблюдателя с биноклем и понял, что препирательства бессмысленны. Все, кто поднимался с грузом, были у него как на ладони. Пришлось идти обратно.

Я пошел вниз и время от времени, вспоминая свою глупость, яростно вопил: «А-а-а...!!!» Попал в какое-то место, где сидят идиоты и надо мной издеваются!!!

Теперь я улыбался зверской улыбкой и каждому встречному говорил: «Улыбайся, придурок, они сверху в телескоп смотрят! За консультацию плесни пол-литра воды в мой кувшин». Теперь в моей посудине уже что-то плескалось. Я немного посидел, чтобы время прошло, и пошел обратно.

Вот, оказывается, почему, когда я спросил своих пациентов, чем и как их лечили, они с улыбкой ушли от ответа: «Понимаете, это трудно объяснить».

Перед воротами я себя поймал на том, что уже темно, но я улыбаюсь. Ну и хорошо, а то вдруг у них еще есть прибор ночного видения?!

Голодный, изможденный, еле доплелся до своей кельи и только с облегчением вздохнул, убрав идиотскую улыбку с лица (лицо же устало!), как вдруг спиной почувствовал на себе чей-то взгляд. Сердце екнуло.

Снова растянув рот до самых ушей, я резко развернулся и увидел... Кого бы Вы думали?

Себя!

Оказывается, на стене висело зеркало. Лицо было осунувшееся, запыленное, со следами ручейков пота и неестественно широкой улыбкой.

Вот тогда-то со мной случилась истерика. Я безудержно и громко хохотал. Скулы свело, живот болел, а я никак не мог успокоиться. Я хохотал над абсурдностью ситуации, которую сам себе создал.

На шум прибежали мои приятели, оператор с режиссером, и сначала тоже начали гоготать, а потом, насмеявшись вдоволь, как-то странно стали на меня поглядывать...

С каждым днем людей, таскающих воду, становилось все меньше и меньше. И через неделю не осталось никого. Потом нас собрали и говорят:

— Спасибо, что вы приносите свет в наш Храм. Если вам нужна вода, то можете взять ее там.

Открывают калитку на территорию Храма и указывают на каменный домик. Гостевая половина была отделена от монашеской территории стеной. Оказывается, внутри этого домика есть родник. Они построили его, чтобы зимой родник не замерзал.

А кувшин с водой — это специально выдуманный способ доведения простой истины до мозгов через ноги.

Оказывается, каждый, кто приходил в этот Храм, считал себя умным, у каждого были свои амбиции. Чтобы выбить из нас все наносное, служители Храма придумали такой способ «лечения» высокомерия.

Я тоже туда пришел со своим уставом, начитанный, напичканный знаниями и кое-какими способностями, которых нет у других. Они придурки, а я такой умный!

Всего за неделю из меня тоже «выколотили» всю дурь. За одну неделю они сделали меня человеком!

Там я встретился с самим собой. Мне опять стали интересны цветочки, букашки, муравьи. На четвереньках ползал, наблюдал, как они ходят, перебирая ножками. Мне казалось, что я один вдруг почувствовал себя ребенком. Смотрю, с другими происходят те же вещи. Мы забыли все свои ранги, а самое интересное, заметили, когда все улыбаются, то городская мимика, некогда привычная для нас, теперь стала восприниматься как отклонение.

Вы видели когда-нибудь, чтобы взрослые люди играли в детские игры? Смешно, да? А мы играли. Это вообще было для нас естественным состоянием.

Потом я начал обращать внимание на то, что говорили люди: «Мне полегчало. Мне стало лучше». Я связывал это с погодой, природой... горы все-таки! Только потом пришел к выводу, что главный секрет связан с мимикой и осанкой.

На сороковой день я пришел к настоятелю Храма и сказал: «Я хочу остаться здесь».

— Сынок, ты молодой. Не думай, что мы тут от хорошей жизни. Монахи, находящиеся здесь, слабые люди. Они не в состоянии оставаться чистыми среди грязи. Они не приспособлены к жизни, сынок, и вынуждены убегать от трудностей. Мы существуем для того, чтобы вы могли взять и дальше в душе понести свет. Вы люди сильные, у вас есть иммунитет.

Я начал что-то говорить, а потом, в конце концов, сказал: «Но я, наверное, единственный из группы, кто пришел к Вам».

— Ты один из последних.

Оказывается, почти все из нашей группы уже успели побывать у настоятеля с просьбой остаться. Понимаете?

Спустя сорок дней мы покинули Храм. На обратном пути нам встретилась группа людей, жаждущих исцеления, как и мы сорок дней назад. Елки-палки! Ну и рожи! Это была толпа людоедов, которая набросилась на нас:

— Помогло? Чем болел? Что дают? А всем помогает?

Я ответил:

— Каждый получит по заслугам!

Смотрю на нас — на них, на нас — на них. Мы все улыбаемся...

Вдруг почувствовал, что отодвигаюсь. А они тоже, как-то шарахаются как от прокаженных. Рядом со мной, опираясь на руки своих сыновей, стоял восьмидесятилетний старик. Он сказал: «Неужели мы были такими же?!»

Когда я приехал в город, увидел толпу бездушных, безразличных, абсолютно индифферентных людей, которые вечно куда-то торопятся, сами не знают, куда и зачем. Было очень тяжело опять привыкать к городскому образу жизни.

Во мне что-то изменилось раз и навсегда. Я вдруг почувствовал себя в театре абсурда, и жизнь, протекающая в городе, показалась пустой и никчемной. Невозможно было смотреть на эти лица.

Если бы Вы знали, как дискомфортно я чувствовал себя! А ведь недавно сам был таким же, как и они.

Потом, когда я вышел на работу, мне надо было проверить, действительно ли вся суть выздоровления в улыбке

и осанке? А вдруг дело в погоде, климате или каких-
либо других внешних условиях?!

И в спортзале поликлиники мы организовали занятия.

Пригласили пациентов-добровольцев из числа тех, кто
находился у нас на учете, объяснили им задачу и начали
тренировки.

По часу-два в день занимались. Просто ходили по
спортзалу с улыбкой, сохраняя осанку. А удерживать-то
все время улыбочку знаете как тяжело?! Не верите?!

А Вы попробуйте на улице улыбаться и осанку пря-
мую держать, сразу почувствуете на себе тако-о-е давление окружающего мира! Вам будет очень тяжело, особенно на первых порах!

Идете, идете, а потом вдруг незаметно ловите себя на
том, что снова шуруете, как деловая колбаска. Через
15 минут в отражении какой-нибудь витрины вдруг заметите, что на Вас смотрит харя!

Вам предстоит борьба! Чтобы противостоять давле-
нию среды, стремящейся стереть Вас в порошок, и остаться самим собой, нужно волевое принуждение!

Через некоторое время после начала занятий стали
появляться такие интересные проблемы. Один наш энту-
зиаст говорит:

— Я потерял очки. В свое время их из Франции при-
вез. Столько лет носил, а теперь где-то оставил.

А почему потерял? Потому что надобность в них
начала исчезать. У другого кишечник заработал. Третий
стал слышать, а проблемы со слухом тянулись еще с
детства. Улучшения отмечались у всех.

От полученного результата у меня начала «съезжать
крыша». Я не мог понять, почему люди столько лет болеют, а от какой-то идиотской осанки, улыбки они выздоравливают.

Тогда в лабораторных условиях мы начали изучать,
какие изменения происходят в организме. И таким обра-

зом один случай обернулся фундаментальным открытием в науке.

А что же стало с оператором и режиссером? Оператор похудел, его вес до сих пор держится на уровне примерно 85 кг. Вылечился от своих болячек.

Но самый большой успех из нас троих был у режиссера. Несколько лет назад они с женой развелись, потому что он каждый день закладывал за воротник. Бросил пить и опять женился на своей жене.

ТУРНЕ В ПСИХОФИГИОЛОГИЮ,
вернее, в «психофизиологию»

А сейчас приглашаю Вас совершить небольшое путешествие. Не волнуйтесь, не в Храм Огнепоклонников, нет. В психофизиологию.

Без этого турне Вам будет казаться, что все слишком легко и просто. Раз просто — я все понял, зрение и так восстановится, само собой.

Само собой ничего не бывает, разве что птичья какашка на голову упадет один раз за десять лет, да и это неспроста.

Итак, в путь. Присядем на дорожку. Разрешите в двух словах изложить Вам формулу одного из своих открытий[1]:

«Закономерность изменения каталитической активности мембраносвязанной ацетилхолинэстеразы эритроцитов и хлоропластов биологических систем при их адаптации к внешней и внутренней среде».

Краткое описание формулы: «Установлена неизвестная ранее закономерность изменения каталитической активности мембраносвязанной ацетилхолинэстеразы

---

[1] В соавторстве с Н. Р. Бородюк. — *Прим. ред.*

эритроцитов и хлоропластов биологических систем при их адаптации к внешней и внутренней среде, заключающаяся в том, что при воздействии на биологические системы (человек, высшие животные, растения) повреждающих индукторов (физических, химических) и патологий внешней и внутренней среды, вызывающих снижение устойчивости биосистем, каталитическая активность мембраносвязанной ацетилхолинэстеразы эритроцитов и хлоропластов снижается пропорционально степени тяжести повреждающего действия индукторов и патологий, обусловленная биологической активностью эритроцитов и хлоропластов, направленной на поддержание постоянства работы внутренних органов, двигательной активности, клеточного деления, фотосинтеза и других функций биосистемы».

А теперь то же самое, но более пространно: «До настоящего времени биологическая активность эритроцитов и хлоропластов биосистем не учитывалась.

В результате экспериментальных исследований было установлено, что тяжесть повреждающего действия высоких и низких температур, ядохимикатов, радиации, психических и психосоматических заболеваний на жизнеспособность организма коррелирует с увеличением „жесткости“ мембран эритроцитов и хлоропластов.

Это состояние мембран обусловлено понижением биологической активности эритроцитов и хлоропластов, т. е. с угнетением каталитической активности мембраносвязанной ацетилхолинэстеразы (мембраносвязанной АХЭ) хлоропластов и эритроцитов, фермента, расположенного на наружной поверхности мембраны этих клеток и органелл.

Отметим, что биологическую активность эритроцитов и хлоропластов мы изучали лабораторным способом, измерением каталитической активности этого фермента с помощью разработанных нами химических и физических методов, защищенных патентами.

Обобщение собственных экспериментальных данных и данных других авторов показало, что управление биологической активностью эритроцитов и хлоропластов осуществляется по прямому и обратному каналам энергиями, которые выделяются при гидролизе ацетилхолина, катализируемого мембраносвязанной АХЭ эритроцитов и хлоропластов, а также и химическим путем (гормонами), активность которых определяется окислительно-восстановительными реакциями, осуществляемыми дегидрогеназами.

Благодаря движению, свойствам, состоянию мембран эритроцитов и хлоропластов, указанная энергия может распространяться по организму, обеспечивая поддержание работы всех внутренних органов, двигательной активности, клеточного деления и других физиологических функций биосистемы. Увеличение жесткости мембран нарушает эту закономерность.

Таким образом, биологическая активность эритроцитов и хлоропластов может служить тест-объектом, с помощью которого можно оценивать действие физических и химических факторов, а также психических и психосоматических заболеваний на жизнеспособность биосистемы.

Итак, разработана система, позволяющая влиять на регуляторную способность эритроцитов, тем самым получены обнадеживающие результаты по лечению ранее неизлечимых заболеваний».

Все понятно?

Другими словами, мы приступаем к управлению осознанным путем неосознаваемыми процессами через «мышечный корсет» (осанку, мимику) и эмоциональный центр. И нам надо знать,

ЧТО ВАЖНЕЕ:
победа или отсутствие поражения?

А Вы скажете: «побе-е-е-да!», а я отвечу: «Ну и дурак!».
Победа становится неизбежной, если для поражения не оставишь ни одного шанса!

редставьте себе, что Вы собрались в горы. Прежде чем начинать восхождение, мы должны основательно подготовиться. Сейчас, не утруждая себя, ничего не делая, Вы говорите:

— Я хочу на эту вершину! — то есть хотите достичь цели, которая у Вас есть.

— Но там может быть холодно! Где теплая одежда? Вы:

— Ой, как мне хочется быть на этой вершине!

— Нам нужно будет где-то ночевать, что-то есть. Но Вы настаиваете:

— А я все равно пойду туда!

— Хорошо, идите! А я буду здесь готовиться.

По дороге есть пропасти и через них надо пройти. Если Вы в босоножках, шлепанцах, шортах и майке захотите так, налегке покорить вершину, о которой мечтали всю свою сознательную жизнь, то первые, даже самые незначительные трудности Вас повернут назад и пяткой ка-ак дадут по мягкому месту: «Вон отсюда! Не для тебя эта система!»

Поэтому необходимо предусмотреть все.

Вы, может быть, сейчас посмотрели книгу и сразу, пропустив некоторые главы, решили приступить к упражнениям? Остановитесь!

Вы хотите покорить свою вершину? Если да, тогда начнем готовиться к работе над зрением.

Вам придется вступить в бой со своими привычками. Характер хронических больных — это огромная волчья яма, из которой нужно выбираться.

Большинство болезней — это материализованный характер. В первую очередь нужно будет изменить взгляд на себя и на мир в лучшую сторону. Перестаньте смотреть через серое, грязное стекло неверия, сомнения, пессимизма, скептицизма, недовольства собой и всем вокруг. Нужно просто хорошенько «помыть окно».

Значит, готовимся к пути на вершину. Тогда определимся в понятиях.

Что важнее: победа или отсутствие поражения?

Хронические больные резко отличаются от других людей, и в первую очередь отношением к себе и к окружающему миру.

Поэтому к лечению «хроников» нужен особый подход, учитывающий всевозможные причины застревания человека в недуге.

Мой наставник всегда повторял, что **победа становится неизбежной, если для поражения не оставишь ни одного шанса**, умело обойдешь все ловушки и застрахуешься тем самым на все сто.

Важна не победа, а отсутствие поражения! Отсутствие поражения — это есть обреченность на победу! Когда Вы думаете только о триумфе, а неудачи и ошибки в расчет не берете, то, по мере их накопления, Ваши шансы в отношении победы только уменьшатся.

Для тех, кто решил победу над недугом сделать неизбежной, рассмотрим самые распространенные варианты возможного поражения. Установим, что нам будет мешать в пути.

Первая яма — это условный рефлекс

Как он возникает? Представьте, что Вы никогда не видели утюг.

Вы подошли к нему, потрогали и обожглись. От внезапной боли или сильного стресса рефлекс возникает моментально.

Другой способ возникновения рефлекса — это формирование привычки, которая складывается за счет повторения.

Получается интересная картина. Плохое зрение — это не болезнь, а дурная привычка, чтобы избавиться от нее, нужно просто выработать другую, и когда мозг ее «оприходует», обратно уже просто так не отдаст.

Значит, восстановление происходит за счет устранения «рефлекса плохого зрения». Где же формируется рефлекс?

Тело — это сосуд, в котором находятся разум, душа, дух.

Разум и душа — это два антагониста, они вечно борются друг с другом.

Разум содержит все знания и жизненный опыт. Он с огромнейшим трудом и упорным сопротивлением принимает их на хранение. Но если уж что-то берет, то тут же оприходует. Когда Вы попытаетесь забрать, возвращаетесь и говорите: «Дай мне обратно, я передумал», — он Вас прогонит:

— Пошел вон! Это уже находится в моем балансе.

Высшая цель разума — это стремление к абсолютному порядку. Его задача — сберечь жизнь любым способом, упорядочить и сохранить информацию и опыт. Это эталон консерватора. Гипертрофированный разум приводит к остановке всех движений, т. е. к смерти.

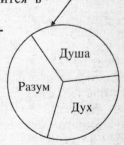

Он хранит целостность практики и устраняет хаос, который создает беспорядочная душа. Она вечно летает.

Душа строит дворцы, воздушные замки, готова сжечь себя во имя любви. Ради любви она готова отдать и разрушить все, что охраняется разумом. Она вечно оторвана от земли, живет чувствами, а разум — расчетом и логикой.

Душа — бесконечный взрывной хаос.

Она импульсивна и беспорядочна. Там живут высоченные чувства, идеал любви, нежности, доброты, творения. Там обитает мечта.

Душа бесконечно стремится, фантазирует, планирует, созидает. Разум — никогда! Он стремится к покою — это его естественное состояние, а душа этот покой нарушает.

Она:

— Хочу к звездам!

Он:

— Землю не забудь.

Высшее состояние души — это стремление к абсолютной любви! Это вечное созидание, движение, творение! Но чрезмерное ускорение всех этих действий приведет к распаду и первозданному хаосу, т. е. к смерти.

Разум сопротивляется всему новому, стремится сберечь в нетронутом виде то, что уже когда-то принял на хранение. Он приземленный и меркантильный консерватор.

Понятия разум и созидание несовместимы.

Разум не дурак и не гений. Он просто хранитель — заведующий огромным архивом, где берегутся привычки, мысли, стремления, пережитые ощущения, испытанные чувства — все!

Его усилия могут привести к тому, что от этой сохранности просто все «сгниет».

Но разум и душа друг без друга погибнут. Так же, как тепло и холод, каждый в отдельности, несут смерть.

Огонь — бесконечное горение — уничтожает все живое, лед — чрезмерный холод — останавливает всякое движение.

Дух — это третья сила, возникающая от антагонизма души и разума. Он сдерживает и гармонизирует их. Дух живет познанием. Высшая цель духа — познать абсолютную истину. Гибель души или разума приводит к гибели духа.

Единство трех сил поддерживает в человеке жизнь. Их задача быть друг для друга противовесом и находиться в равновесии. Если оно нарушается, то это происходит в ущерб одной из них.

Дух чахнет, когда познание жизни прекращается. Человек по сути своей становится похожим на животное, со свойственными ему потребностями.

Если душа гипертрофирована, то человек все время живет на эмоциях, в фантазиях, летает в облаках и может «упасть» и «разбиться». Инстинкт самосохранения отсутствует. Такие люди очень часто бывают на грани душевной болезни или уже больными.

А если гипертрофирован разум, и жизнь строится на холодном расчете, уничтожается душа, угнетается дух. Человек становится подобием компьютера, или счетной машинки, без души, без воображения, без любви.

Болезнь похожа на дурную привычку, которая приобретается разумом по настоятельному требованию души и тела. Нужно изменить привычку и образ жизни, который помог ее выработать.

Сколько же времени для этого потребуется? Примерно от двадцати до сорока суток. За этот период новый навык будет взят разумом на баланс и станет неотъемлемой частью психики и организма.

Сначала разум все примет в штыки с отчаянным сопротивлением, приводя контраргументы, ссылаясь на прежний опыт, неудачи, сомнения, неверие.

Но настойчивость души и сила духа будут с каждым днем это сопротивление уменьшать, уменьшать, уменьшать и примерно через сорок дней разум сдастся, заберет новую привычку, новую информацию, наклеит бирочку и поставит на полочку. А потом, даже если Душа попросит:

— Послушай Разум, ты помнишь, я каждый день приходила к тебе, и ты сорок дней меня мучил, отказываясь от того, что я тебе предлагала? Теперь ты это взял, но я передумала, мне это не понравилось и хочу вернуться к прежнему. Пожалуйста, поменяй.

Разум скажет:

— Кыш отсюда! Не отдам.

И теперь Душа снова должна сорок дней приходить и просить:

— Ну, поменяй, пожалуйста, привычку.

Через сорок суток в конце концов Разум согласится:

— Ну что ж забери.

Душа «отойдет» на десять шагов и скажет:

— Я опять передумала.

И снова ей придется сорок дней трудиться, чтобы сломить консерватизм Разума.

Не случайно в нашей жизни есть сорокадневные циклы, например, после рождения или смерти человека.

*Хочу хрен его знает чего,
но точно знаю, что очень хочу!!!*

Вторая яма — непоставленная задача

Если мы не знаем, к какой цели стремимся, то как тогда определим, Ё-МОЁ, что уже ее достигли?!!

По ходу работы мне пришлось встретиться с интересной вещью. Вначале была случайность, потом отметил закономерность происходящего. В одной группе процент выздоровления был больше от одного заболевания, а в другой — от другого.

Почему? Начал специально исследовать, обобщать и анализировать.

Вот тогда и пришел к выводу, что человек не может своим вниманием охватить сразу все тело, т. е. одновременно работать с глазами, печенью, суставами и т. д.

В этом заключается ограниченность фокуса внимания. Это первое.

И второе — больной выздоравливает тогда, когда у него есть цель, внутреннее стремление или тяга к выздоровлению.

Если человек ежедневно направляет внимание в нездоровый орган, вкладывает положительные эмоции, и отслеживает результат, то механизм выздоровления запускается.

Какие бы Вы ему ни давали лекарства, какие бы упражнения с ним ни делали, если он не поставит перед собой четко сформулированную задачу и не будет работать с каждым нездоровым участком тела ежедневно, выздоровление сильно затянется или, Боже спаси, не наступит вовсе.

А для того, чтобы Вы лучше поняли, поменяемся местами: Вы станете преподавателем, а я буду Вашим ассистентом. Вместе проведем занятия в трех небольших городах, близко расположенных друг от друга: Кустанай, Рудный и Лисаковск, где живут прекрасные люди, и у меня остались самые приятные воспоминания о них.

То, что сейчас прочтете, было на самом деле.

В Кустанае Вы выходите на кафедру и основательно объясняете теорию, как нужно работать с различными нездоровыми органами. Вас внимательно слушают, сидя с умным лицом и кивая головой, как китайский болванчик.

А Вы, как бы между прочим, говорите:

— Рассмотрим это практически на примере зрения или слуха.

Уважаемые сокурсники, у кого зрение или слух не в порядке, будьте добры, встаньте.

Начинаем работать, и зрение запускается, становятся заметными первые проблески улучшения. На вопрос: «У кого зрение пошло?» радостно поднимают руку.

— Вот, пожалуйста, Вам теория и вот практика. В течение девяти-десяти занятий, у кого 3 дпт. и меньше, вы будете обязаны сдать зачет о полной нормализации зрения. Теперь точно так же поработайте с другими нездоровыми органами самостоятельно здесь или дома.

На протяжении всего времени Вы постоянно дважды поднимали слушателей с глазными и слуховыми проблемами, и они работали именно над зрением и слухом в аудитории, при всей честной компании.

Про кишечник и сон Вы только один раз обозначили, что **работать надо по той же схеме, что и с глазами или ушами**, а результат проверите позже, и больше об этом ни слова!

О щитовидной железе, о гипертонии, миомах, кистах, хроническом гепатите и других заболеваниях вообще ничего не говорили, а просто дали время и сказали:

— Пожалуйста, вот так и вот так работаем в области нездорового органа, который находится в списке ваших задач, каждое занятие дважды по пять минут, **но... самостоятельно**.

А на вопрос, работают ли они на самом деле, все дружно кивают и хором отвечают: «Работаем!» И так девять занятий.

В городе Рудном Вы как «учебное пособие» выбираете тех, у кого нарушен сон, и работа желудочно-кишечного тракта оставляет желать лучшего. Они встают, и Вы сообщаете:

— В вашем распоряжении девять занятий. К девятому занятию вы обязаны восстановить сон и нормализовать деятельность желудочно-кишечного тракта.

И точно так же каждый раз дважды специально поднимаете их.

А в Лисаковске останавливаете свой выбор на тех, у кого варикозное расширение вен, тромбофлебит, «шпоры», пятна на ногах и т. д. Другими словами, они имеют явный визуально наблюдаемый недуг.

К каждому человеку Вы из числа слушателей прикрепляете по одному или по два «надзирателя-наблюдателя», которые должны все время отслеживать динамику выздоровления, т. е. просто постоянно обращать внимание на ноги своих коллег.

Наступило девятое занятие. Теперь посмотрим, какая получилась картина!

Кустанай.

Очкарики гордо поднимают руку, зрение начало улучшаться, и многие даже показали фантастический результат, бросив очки.

А на вопрос, каково качество сна и как работает кишечник, большинство стоят себе, как пни на морозе! Сколько лет были «ночным сторожем», так им и остались, и в туалет, пардон, по-прежнему ходят раз в год по обещанию. Итог печальный!

И по другим недугам результат кот наплакал. А по-другому и быть не могло!

Рудный.

Каждый день, у кого сон не в порядке и претензии к желудочно-кишечному тракту, Вы их поднимали, интересовались, как идут дела? У некоторых хорошо, а кому-то не хватало взбучки, потому что работа не продвигалась. К слову сказать, очень часто один ма-а-ленький шажок вперед является результатом хор-р-о-шего пинка сзади.

Зрением и другими проблемами своего организма наши слушатели должны были заниматься дома или прямо в аудитории, специально повторяю, но самостоятельно.

К девятому занятию кишечник работает как часы, сон — как у сурка, все стоят радостные, но зато в тех же очках, в которых пришли.

Спрашиваете:

— У кого варикозное расширение вен, каково улучшение?

А улучшение — фиг Вам! Только у двоих или троих из десяти человек.

Остальные, оказывается, не поставили перед собой задачу работать с венами. Сидят со своими привычками и амбициями, хлопают глазами. Хотят того, не знают чего! Стоит ли в таком случае ждать положительных результатов, как Вы думаете?!

Лисаковск.

Каждую встречу Вы начинали с того, что говорили: «А ну-ка, покажите ножки». На девятое занятие вся группа аплодировала им. У многих варикозное расширение вен исчезло, у других объем вен заметно уменьшился.

Уважаемые врачи, коллеги! Вы же понимаете, что это такое!!! За девять занятий наши слушатели убрали варикозное расширение вен!

С точки зрения физиологии, с точки зрения медицины они сотворили чудо! Вы согласны?

Но глаза-то остались в таком же плачевном состоянии, в каком и были. О почках или о чем-то еще вообще говорить не приходится.

Вот Вам три параметра.

А теперь анализ: почему так случилось?

1. Пациент задачу поставил абстрактно, типа «я хочу быть здоровым». Иначе говоря, внутри отсутствовала четкая созидательная программа.

2. Он не задал сроки реализации этой программы.

3. Не запустил программу в действие, а сидел и ждал «у моря погоды».

4. Не осуществлял каждодневный самоконтроль за выполненной работой.

Кроме лозунга «я хочу быть здоровым», ничего в голове не было, никакого отчета перед собой за результат. Именно поэтому вся работа с другими органами шла «скорому поезду под хвост».

Это одна из закономерностей поведения хронических больных, которая Вас, уважаемые коллеги-врачи, незаслуженно превращает в «козла отпущения».

Когда картина прояснилась, мы прямо на занятии проанализировали результаты.

Предлагаю Вам познакомиться с фрагментом стенограммы занятия в городе Кустанае.

Напомню Вам, уважаемый читатель, что здесь внимание было акцентировано на восстановление зрения. (Запись приводится дословно. — *Прим. ред.*)

(Норбеков М. С.)... Вопрос будет трех видов.

1. У кого восстановилась деятельность кишечника?
2. У кого улучшилась работа кишечника?
3. У кого никаких изменений?

— У кого восстановилась деятельность кишечника, поднимите руки. О-о-о! Результат абсолютно такой же, как в Лисаковске.

— У кого улучшение, поднимите руки.

— А теперь остаются те, у кого нет никакого сдвига в лучшую сторону. Осталось 6 человек.

Теперь обратите внимание на соотношение. Встали тридцать сокурсников, из них у шестерых — без изменений. Это означает, что 20% наших сокурсников перед собой задачу не поставили.

(Обращается к молодой слушательнице.)

— Принцесса, Вы над зрением работаете?

— Да.

— И как успехи?

— У меня есть улучшение.

— Куда Вы обращали внимание, там есть результат, зрение пошло. А кишечник почему Вы не восстановили?

— Не знаю.

(Обращается к даме.)

— Солнышко, Вы над зрением работаете?

— Да, и есть улучшение.

— А почему с кишечником Вы не поработали?

— У меня цель есть, вернее, я сказала себе, за сколько дней я должна улучшить кишечник.

— И за сколько дней?

— Где-то за месяц.

— Я разве не говорил, чтобы к девятому занятию кишечник был в нормальном состоянии! Хоть у меня память дырявая, но не до такой же степени! Говорил или нет?!

— Говорили.

— А откуда Вы взяли месяц?!

(Обращается к мужчине)

— Родной мой! Да-да, Вы, со зрением работаете?

— Да.

— Как там?

— Очки снял. Жена не узнала, и дверь не открыла. (Смех в зале.)

— Так Вам и надо! А кишечник почему не запустили?

— Ну, я думал, что нужно последовательно.

— Последовательно Вы думали! Ну, спасибо! После таких ответов мне, как специалисту, хочется подохнуть! Но Вы же мужчина! Хоть Вы бы меня поняли! Я же неоднократно повторял, что работаем с каждым нездоровым органом из занятия в занятие и ничего не оставляем на потом! Вот это есть техническая ошибка. Программа была последовательная (в третьем случае) — сейчас зрение, а потом кишечник. Программа была изменена — в течение месяца — (во втором случае) и в Вашем случае (первый случай. — *Прим. ред.*). Вы не знали, что кишечник надо тоже лечить, и Вы не поставили задачу.

Вот вам три ухода от победы в сторону.

Слушайте еще раз внимательно в оба уха! Программа начнет работать при одном условии: если в течение месяца каждый день Вы будете навязывать эту программу своему организму и получать от него отчет.

А теперь, у кого варикозное расширение вен, у кого костяшки, шпоры на ногах, у кого тромбофлебит, у кого пятна на ногах, будьте добры, встаньте.

Ну что же, обратите внимание, о вас я ни разу не вспоминал. Восемнадцать раз мы вспоминали о зрении, у всех почти идет улучшение.

Один раз мы сказали о кишечнике и больше специально ни разу до сегодняшнего дня не вспоминали, оставляя это на вашей совести. Осталось без улучшения 20%.

О геморрое, различных хронических воспалениях, о пародонтозе, узлах, разного рода непроходимости и т. д. и т. п. — ни о чем таком мы специально не говорили. Потому что мы не можем здесь каждый раз перечислять громадный список диагнозов. Вы тогда будете сидеть и слушать на занятии только перечисление болезней, у нас на это просто нет времени! Теперь вопрос.

У кого есть варикозное расширение вен на ногах, тромбофлебиты, поднимите руку, пожалуйста, мы посчитаем. Пятьдесят семь человек. Спасибо. А теперь будьте честными перед собой, я вас очень прошу!

Кто в течение последней недели хоть один раз заглянул на свои ноги, поднимите руку, пожалуйста? Вот это да-а-а! Всего пять сокурсников. А остальные?!

Вы что, ребята, очумели что ли?!! Целая неделя прошла, вы что, даже ноги не мыли, что ли?

(Оживление и смех в зале.)

— Мыли!

— Тогда чьи ноги мыли, если даже не заглянули ни разу? Ну даете! Может, хоть кто-то все-таки поставил перед собой задачу работать с венами? Всего двое, Боже мой! Что будем со всеми вами делать?

Эх вы?!.. Давайте сегодня начнем. Впереди еще 12 занятий. Девять занятий вы уже профукали.

Теперь я все время буду стоять у вас над душой. Если каждую болезнь вы будете убирать в столетие раз, то я вам дам почувствовать, о чем думала Дездемона в последний момент своей жизни. (Смех в зале.)

За счет чего Вы добились улучшения зрения в аудитории?

На каждом занятии Вы дважды свой внутренний взор направляли на глаза. А сколько раз Вы обращали свое внимание на кишечник?

Вы ничего не делали. Вот эта работа над зрением — это специально задуманная хитрость. Цель была — показать вам наглядно грубые ошибки в отношении к себе. Нельзя ничего пускать на самотек.

Мы исподволь вас поставили в такую ситуацию, что вы не могли не контролировать результативность работы с глазами. **Был контроль — есть результат!** Все элементарно, друг мой Гораций.

Просто-напросто два раза в течение каждого занятия мы заставляли Вас не только захотеть хорошо видеть, но и поработать в направлении желаемого.

Вы свой внутренний взор обращали в область глаз и вызывали выдуманную радость за то, что зрение еще улучшится. И что получилось?

Зрение улучшилось. Каждый раз на протяжении курса Вы заставляли себя получать реальный результат и учились с признательностью относиться к себе за это.

Внимание, ключ!

И не просто на словах произнести «спасибо» или «я так признателен себе»! А внутри создать физически ощутимое чувство благодарности в свой адрес.

Организм тут же откликался.

Вы формируете свою цель, запускаете механизм ее осуществления. А затем как управляющий хозяйством контролируете и проверяете, как идут дела. Организму ничего не остается, как подчиняться.

Вот почему для достижения результата Вам придется упорно работать над зрением. Слава Богу, не каждый день, какая радость (!), а всего три-пять дней в неделю.

Пусть эта группа слушателей будет для Вас примером. Извлеките урок...

Значит вывод. Движение без цели — это «путь туда не знаю куда». Но и осуществление поставленной задачи нужно постоянно держать под жестким контролем. А как конкретно? Ниже мы будем это изучать.

Третья яма — лень

Самая непосредственная, искренняя ее форма сродни тому, как говорят дети: «Я не хочу! Не буду!»

Умная форма проявляется у взрослых, которые уже впали в детство. Они заявляют: «Я не могу в связи с тем-то и тем-то... возраст не тот, далеко живу...» и т. д.

Активная форма лени, когда мы из себя корчим «деловую колбаску». «Я очень, очень занят, у меня нет времени». Другими словами это звучит так: «У меня абсолютно отсутствует время жить. Просто некогда».

Агрессивная — это лень во всей своей красе, проявляется буквально так: «Не лезь в мой огород, а то зарежу!» Или: «Не верю, не может быть, так не бывает, все ерунда, чушь, шарлатанство. Прочь от моей мягкой постельки со своей романтикой восходов и закатов где-то там на Ангаре!»

Существует громадная масса безликих существ с удостоверением личности, отвергающих все, чего они сами не умеют и не знают. Они всегда стараются устранить возмутителя спокойствия. Все новое, необычное, выходящее за привычные рамки их понимания и есть та самая угроза.

Так сожгли Джордано Бруно, распяли Иисуса Христа, погубили генетиков, поставили к стенке кибернетиков. Ради интеллектуального покоя, т. е. лени, они готовы уничтожить любое новшество.

Когда Вы начнете заниматься, сразу почувствуете, как лень встанет рядом. Она заступит на вахту и будет с остервенением защищаться самыми изощренными методами.

Кто в доме хозяин: лень или воля? Руки в стороны!

Хотите проверить на себе? Тогда выполните небольшое упражнение «РУКИ В СТОРОНЫ».

Пожалуйста, встаньте, поднимите выпрямленные руки через стороны чуть выше плеч, примерно под углом 45°, кисти сожмите в кулак, большой палец максимально выпрямлен. Теперь разворачиваем руки так, чтобы большой палец указывал в пол. Так нужно простоять ровно десять минут.

Постепенно по мере выполнения упражнения начнет появляться усталость, и внутри Вас возникнет борьба двух сил: одна из них жизнь, другая — смерть.

Чтобы лучше ощутить их противоборство, пожалуйста, закройте глаза.

Одно чувство, при помощи которого Вы держите руки навесу, называется воля. Именно воля будет созидать Ваше здоровье.

Другое чувство, которое говорит: «Устал, опусти» — это лень. Слушая ее, Вы десятилетиями находитесь в недуге, финансовом кризисе, нереализованном состоянии.

Какое желание ближе, роднее, какое желание больше Вами управляет, чаще возникает в течение дня, чему Вы больше всего подчиняетесь — той силе, которая говорит «держи», или той, которая говорит «опусти»?

Загляните внутрь себя, прислушайтесь к ощущениям. Запомните также, с каким чувством Вы опустите руки через 10 минут.

Вам нужно стоять до тех пор, пока у Вас не появится третья сокровенная мечта, которая с каждой минутой будет усиливаться.

Сначала проделайте это упражнение, а потом читайте дальше. Так Вам будет интересно сопоставить Ваши мысли с тем, что описано ниже.

Вы заметили, как по мере уставания рук Ваша лень начинает подстрекать: «Опусти»? Она принимает слащавый вид и подсказывает: «Ты на одну секундочку быстренько опусти руки, а потом опять подними».

Да еще сделает так, что у Вас вдруг где-то зачешется. Вы почесали в одном месте, тут же защекотало в другом. А на самом деле Вы просто ей уступили.

Но если Вы не поддаетесь на провокацию и терпите, т. е. проявляете волю, тогда лень принимает другой облик и начинает атаковать: «Что он предлагает?! Я такой больной человек, а он издевается! С моим заболеванием вообще физические нагрузки запрещены».

И вот у Вас проявляется в глубине сознания заветное желание набить мне морду.

Зато когда Вы руки опускаете, лень тут же дает Вам взятку в виде удовольствия.

А теперь вопрос — что легче: держать руки или опустить?

Опустить, конечно! Но Вы все-таки руки заставляли держать? Точно так же Вы должны заставить себя следить за осанкой, за мимикой, за выполнением упражнений для улучшения здоровья и, конечно, зрения.

Создайте на лице мимику влюбленного человека. Грудь колесом. И продолжаем.

Как Вы заметили, лень по природе своей очень коварная, хитрая, изворотливая и ловкая. Возможно, она уже пошла в атаку.

Скажите, пожалуйста, у Вас появилось ощущение того, что на сегодняшний день Вы уже что-то поняли? Замечательно!

А посмотрите лет на шесть назад, оглянитесь. Вы также считали, что все в жизни постигли и обо всем имеете свое мнение.

А в восемнадцать лет?!

Значит, и сейчас, и завтра, и послезавтра Вы будете знать, что понимаете о жизни все. А хорошо было бы сегодняшний ум иметь лет десять тому назад, а? Да-а-а!

Значит, лень приходит в виде «я все понимаю». Это действительно так, но понимание у каждого свое.

Вот в аудитории я всегда предлагаю слушателям такое упражнение: все, пожалуйста, закройте глаза. Представьте картину.

Какая-то местность, ночь, Вы держите в руках цветы. Откройте глаза.

А теперь опишите, что это за местность, какое время ночи, какие цветы, запах цветов. Ну, просто опишите, что Вы представили. Вы меня поняли, о чем я говорил? Нет вопросов!

А теперь обратите внимание, что значит понять. Спрашиваю у слушателей: что за цветок Вы представили, и где это было?

— Тюльпаны у меня на даче.

— Белые розы около санатория на Каспийском море.

— Одуванчики на лугу.

— Кусты сирени у крыльца дома.

Вы заметили, как мы разбрелись? Кто-то на даче сидит, кто-то в санаторий укатил, кто-то одуванчики на лугу собирает, а кого-то в кусты тянет. Каждый в очередной раз понял что-то свое.

От того, что я сказал «ночь, цветы», Вы что-нибудь новое взяли? Нет, ничего. Просто вспомнили свой пережитый опыт и все.

А я-то, когда говорил, представлял лунную ночь в пустыне.

Весна в пустыне бывает сумасшедшая и очень короткая, как первая любовь столетнего юноши. В такую ночь видно все до горизонта. Вокруг на сотни километров ни одной души. Там холмы, и все они покрыты буйными цветами короткой жизни. Запах ошеломляющий! Тишина! Только кое-где слышны сверчки.

Я сошел с дороги, освещенной луной, наклонился, руками собрал в охапку эти цветы и вдохнул аромат. Я очень хотел, чтобы Вы путешествовали вместе со мной в эту ночь, а Вы разбрелись в своем понимании кто куда. Эх Вы!!!

Одна и та же информация нас раскидала далеко друг от друга. Вот где ошибка. Вы слушаете, вникаете, понимаете, а на самом деле копаетесь в памяти: «Ага, похоже. Понял!»

А хотите посмотреть на другом примере, что значит понять?

Мы уже говорили, что характер равен болезни. Ваш характер похож на обувь с дырками, которая протекает в сырую погоду. Вы приходите в обувной магазин и говорите:

— Могу ли я в Вашем магазине найти туфли, которые мне подходят?

Вам отвечают:

— Можете. Пожалуйста, выбирайте!

Вы ищете ту обувь, которую Вы «понимаете», исходя из своего опыта. А понимание — это сопоставление новых знаний с теми, которые у Вас есть. Например, я говорю:

— Земля круглая.

Вы меня поняли? Да. А почему? Потому что сегодня это общеизвестный факт и в Вашей голове есть об этом информация. А если я сейчас скажу:

— Земля квадратная. Что Вы на это ответите?

— Ну и дурак!

Если подобной информации в голове нет, то сразу происходит ее отторжение, и Вы все пропускаете мимо ушей. Что нового Вы для себя приобрели? Ничего! Вы опять остались у «разбитого туфля».

Получается заколдованный круг. Там, где есть понимание, там отсутствует развитие, рост, приобретение. Вот такая особенность.

Значит, Вы ко всему в жизни подходите со своими мерками, т. е. так же, как к туфлям с дырками. Выбирая обувь со стоптанной подошвой, Вы говорите: «Вот, это мне знакомо и понятно!»

Итак, понимание — одна из форм лени. Это означает, что характер, который привел Вас к болезни, Вы завернули в новую упаковку, и гордо сидите, глядя на мир через очки.

А теперь вспомните, какой ответ Вы подчеркнули в классификации «не верю, что буду видеть хорошо» или «сомневаюсь» и т. п.?

Помните? Границей между здоровьем и нездоровьем является вера. Если Ваш ответ находится по ту сторону «баррикад», значит, Вы просто лентяй! Чтобы не работать над собой, прячетесь за объяснения и доводы.

Ну хорошо, признаю! Все это скрытые формы лени, о которых Вы до сегодняшнего дня просто не догадывались. Но теперь-то Вы знаете, что есть что, а значит, с этого момента считаем все пути к отступлению отрезанными! Вы согласны?

Давайте для наглядности разберем, что такое сомнение?

Образно говоря, это глаза, расположенные на затылке. Они могут смотреть только назад, в прошлое, на пережитые неудачи и поражения. И любое движение вперед сопровождается новыми ударами головой о стенку. И чем дальше Вы так идете, тем больше шишек набиваете.

Негативный опыт продолжает накапливаться и укрепляется в сознании. Отсюда неуверенность в своих силах возрастает. Вы еще зорче всматриваетесь во вчерашний день, убеждая себя и окружающих, что без прошлого нет и будущего.

Получается, что хронические неудачи — это реализованное сомнение. А сомнение — агрессивная форма лени. Вот еще один круг замкнулся. Получается, что Вы сами защищаете болезнь.

Никто не скажет: «Я не хочу быть здоровым». Хотеть-то хотят все, но...

Лень в юбке с кривыми ногами!

Вы пришли в спортзал. Почему? Для какой цели? Чтобы в шестьдесят лет впервые выйти замуж! А то все говорят: «Кривые но-о-ги... кривые но-о-ги...»

Вы подходите к тренеру и спрашиваете: «Скажите, пожалуйста, мои ноги можно выпрямить?»

— Да можно.

— А как?

— Надо заниматься каждый день.

А лень Вам говорит: «Если скажут, что больше пяти минут и больше одного раза — это нам не подойдет. У нас нет времени».

— И сколько всего по продолжительности?

— По полтора часа в течение полугода.

Лень:

— Ну что, поняла, дура? Дуй отсюда!

Тренер:

— Пожалуйста, сделайте 50 приседаний, я хочу посмотреть начальный уровень Вашей физической подготовленности.

Вы начинаете: ра-а-з... два-а-а... и в это время внутри Вас начинают бороться лень и воля.

Лень:

— Фу-у-у! Сколько еще осталось?

Воля подбадривает:

— Давай, давай! Три-и-и... четы-ы-ре... пя-я-ть...

Тогда лень начинает проносить перед Вашим взором разные картины и шептать:

— Посмотри, как много людей вокруг — на улице, в метро. Что они, все дураки, что ли? Если бы от этого хоть какая-то была польза, то здесь было бы полно народа.

Воля:

— Давай еще, еще... Надо!!! Вспомни о своей мечте!

Тогда уж лень переходит в атаку по всем фронтам:

— Ты оконченная идиотка, раз так себя истязаешь! Конечно, твоя незамужняя подруга тоже мечтает выйти замуж, и ноги у нее тоже кривые. Только у тебя они вот такие (), а у нее — такие)(. Так почему же она вместе с тобой не пришла?

Вы начинаете задумываться: «А действительно, почему?» Этот аргумент очень веский. А лень продолжает свое дело:

— Глянь! В какое время ты живешь?! Придумала тоже, спортзал! Это давно устаревший, да еще такой мучительный способ. Посмотри телевизор! Сейчас тебе и еда специальная в таблетках — пищевыми добавками называется и мази.

Лежишь на диване, а по телевизору показывают штаны с мазью в придачу. Мажешься мазью, натягиваешь штаны, ложишься спать, а утром просыпаешься Золушкой.

Вот уж воистину шедевр рекламы! Прямое попадание в точку желаний простого обывателя! Ничего не делать и в то же время много стоящего получать! Спрос порождает предложение!

Кстати сказать, этот товар лучше всего продавался. Откуда я это знаю? Секрет! Ну, хорошо! Сейчас расскажу!

А лень продолжает:

— И ведь ходить никуда не надо. Эти волшебные штаны тебе на дом привезут!

Все! Теперь-то Вы уже точно знаете, почему завтра не придете.

Однажды вот так рассказал в аудитории, а одна дама хохочет и хохочет, остановиться не может. Спрашиваю: «Что такое?» Она: «Ха-ха-ха, я в этой программе работаю».

— А почему тогда Вы смеетесь?

— Потому что больше всего эти штаны покупают.

Я попросил: «Останьтесь, пожалуйста. Скажите, помогают эти штаны?»

— Это коммерческая тайна.

А когда на вторую ступень она пришла, сказала: «Я оттуда уволилась. Когда увидела, что там происходит, то не выдержала. Это не мое».

Или возьмем другой пример. Вспомните себя, когда утром Вы идете по улице, а навстречу бежит кто-то в спортивном костюмчике и кроссовочках.

Какова Ваша реакция?

Вы мысленно говорите: «Я тоже хочу!» А в сознании появляется мысль: «Ты много раз хотела, дорогуша, много раз!»

Чтобы Вы долго не страдали, лень мгновенно опускает на Ваше сознание защитный полог, прижимает Вашу

голову к своей дряблой груди, защищая свое чадо от разных там нападок, и начнет жарко шептать на ушко: «Смотри, он ведь чокнутый, дурак, полоумный! Куда его несет?! Здоровым ведь подохнет! Выпендривается! Делать ему нечего!» Или нечто подобное.

Почему так?

Вы начинаете ощущать себя ущербным по сравнению с ним, потому что он нашел для себя лишние полчаса. Вы вдруг поняли: «Кто-то может, а я не могу заставить себя. Я хочу, но не могу». И, почувствовав себя оскорбленным и виноватым перед собой, таким образом решили оправдаться в собственных глазах.

Потом что Вы делаете?

После того как поняли, что он прибабахнутый, Вы спереди с величайшей натугой поднимаете свое пузо с асфальта, сзади — курдюк!.. Опля!!! И довольный собой, переваливаясь, как жирный индюк или старая корова, продолжаете идти по жизни... Узнали себя, да?!

Если лень замечает хоть малейшее сопротивление, то сразу же принимает форму лести и начинает ласково уговаривать, усыплять бдительность: «Ты так устаа-л. Сегодня был трудный де-е-нь. Ну, днем ра-а-ньше, днем по-о-зже, какая ра-а-зница? Отдохни, а уж завтра с новыми силами сразу и приступим. Я сама тебе помогу!»

Она выступает в роли союзника, предлагая Вам свою поддержку. Чувствуете, что будет завтра?!

Лень — это стремление к покою. Покой стремится к своему высшему идеалу — абсолютному покою, вечному покою. Лень — это есть смерть в миниатюре.

Именно смерть в обличии лени последовательно отрезает ниточки, сначала связывающие Вас с игрушками, затем с интересом к танцам, красивой одежде, прическе, к путешествиям, к работе над собой, к жизни в целом.

Смерть гладит Вас костлявой рукой и убаюкивает: «Ты не умре-е-шь! Умрут други-и-е, ты будешь жи-и-ть. А сейчас отдыха-а-й. Проглоти какую-нибудь таблетку и спи. Она все за тебя сделает сама».

Лень в детстве: «Не хочу!»

В юности: «Сам знаю!»

В зрелом возрасте: «Я умный — все дураки!»

А толпа ленивых людей называет это стремлением к улучшению благосостояния народа.

Можно сказать, что именно ради удовлетворения потребностей армии ленивых делаются все изобретения.

Когда народу надоело раздирать мясо зубами и жевать, какая-то личность придумала мясорубку.

Народу стало лень пешком ходить — один непоседа придумал велосипед. Гений — автомобиль, лифт и т. п.

Людям хочется весь вечер отдыхать, сидя в кресле — пожалуйста Вам телевизор с дистанционным переключателем программ и т. д.

Все отлично! Но что этим движет и к чему все-таки ведет? К покою, покою, покою, вечному покою!

Если Вы своей лени объявите войну, не думайте, что она сразу испугается и капитулирует. Она не будет сидеть, сложа руки, и смотреть, как Вы захватываете ее территорию.

Лучший способ обороны — это нападение, поэтому она начнет активное наступление по всем фронтам. Ведь Ваша победа для нее означает гибель. Тем более все эти годы она активно и в то же время утонченно управляла Вами.

Вы для нее не только крыша, очаг и пища, но и возможность заниматься своим любимым делом: усыпляя волю, лепить из Вас безвольный «кусок мяса», составляющий человеческую массу.

Именно поэтому лень обязательно найдет веские аргументы, перед которыми Вы поднимете руки и сдадитесь. На карту поставлена ее жизнь!

Представьте себе, что Вы ее пересилили, заставили себя сесть на тренировочный коврик и начали заниматься. Сначала лень пойдет Вам на уступки. Она будет смотреть хитренькими глазенками, снисходительно подбадривая:

— Ну, ну, давай, давай, старайся! Молоде-е-ц! Посмотрим, надолго ли тебя хватит!

И тут же Вам скажет:

— За окном машина проезжает, она тебе мешает, подожди, пока проедет. А там вдалеке драка. Ой, ой, как он ему отвесил!..

Или:

— Ёлки-палки, где-то вода капает: «Кап, кап, кап, кап...»

Все Вас будет раздражать и отвлекать.

И тогда лень скажет:

— Давай все оставим до лучших времен... Летом на вилле вдвоем выйдем утром, сядем на берегу океана и потренируемся...

Были такие мысли у Вас? Вы думаете, летом на даче Вы позанимаетесь? К этому моменту Вам будут мешать мухи или комары. Глаза закроете, а комар летит... зи-и-и-и. Лень скажет:

— Давай поедем на Багамы, уж там-то нам никто не помешает...

У Вас есть дома условия для занятий? Конечно, у лентяя нет! Что за вопрос?! Народу полно, всем чего-то надо, нет свободного угла. Какие тут занятия?! Да еще соседи шумные попались, не повезло!

Значит, для того, чтобы Вы позанимались, я должен прийти к Вам домой. Натянув на голову каску, с автоматом в руках и заодно притащив на веревочке зенитную установку, разинуть свою пасть на полдвора и истошно заорать:

— А ну, все вон из дома, ТРА-ТА-ТА..! В-о-о-н, кому говорю! Многоуважаемая тетя Маня или дядя Ваня сейчас будет работать над своим «радикулитом» между ушами.

К этому времени, в семь часов ноль минут весь квартал должен уйти на расстояние пушечного выстрела с транспарантом «Тетя Маня (дядя Ваня) тренируется!»

Придется поставить батальон полицейских с одной стороны улицы, батальон — с другой, чтобы перекрыть движение. Вам надо заниматься, а по небу пролетает какой-то самолет... А я тут как тут со своей зенитной установкой...

Но все равно найдется то, что Вас отвлечет.

Итак, не ждите каких-то особых условий. Действуйте в любой обстановке, используя для этого всякую возможность и время, если, конечно, у Вас есть цель.

Это один из способов, как обмануть лень. А если Вы скажете, что у Вас нет времени заниматься собой, то знайте, что сюрприз в красивой упаковке преподносит лень под названием «деловая колбаска».

Лень многолика и всегда найдет причину, чтобы остановить занятия. Будьте бдительны!

Вы замечали, как во время отжиманий или приседаний наступает момент, когда Вы начинаете делать над собой усилие. Мышцы говорят:

— Больше не могу! Сейчас копыта откину!

А Ваша воля:

— Надо, Федя, надо!

Полезная тренировка начинается именно в тот момент, когда Вы заставляете, принуждаете себя к действию через «не могу», через «не хочу». В противном случае Вы тренируете безволие, тренируете свою слабость и поощряете лень.

Закон жизни таков: Вы никогда не остаетесь стоять на месте — или Вы идете вперед, или откатываетесь назад. Ежедневная малюсенькая победа над ленью тренирует волю. Ежедневная микроскопическая уступка лени развивает ее. Все! Третьего не дано!

Выбирайте одну сторону: или скатываться, или выкарабкиваться.

Всякое Ваше действие служит или созиданию, или разрушению.

Инертности там нет. Запомните! Уберите всякие поблажки и работайте над собой.

Каждый может оправдать лень. У каждого своя правда. Правда мужа, правда жены, правда детей, правда наций, правда человечества, и, когда они соприкасаются друг с другом, возникает конфликт.

Подчас правда двух соседей, один из которых хочет отдыхать, а другой шумно веселиться, не совпадает. Тогда на следующий день каждый из них ходит с парой истинно заслуженных фингалов.

Есть правда улицы, правда города, правда человечества.

Следовательно, при желании Вы можете оправдать любой свой поступок. Вы хотите по уши сидеть в той жизни, которая Вас привела к недугу, к разрушению самого себя, к войне с самим собой, к бесконечному «тра-та-та» в свой адрес?

Только лень, загоняющая в рамки общепринятых понятий, мышления, поведения, действий, заставляет жить, думать и поступать, как все, и в конечном итоге приводит в тупик. Отделитесь от толпы! Выберитесь из этого болота!

В каждом из Вас заключена выдающаяся, гениальная, сильная личность, но, к сожалению, не раскрытая. Дайте возможность проявиться своей глубинной истинной сути ЧЕЛОВЕКА. Сидя на золотой горе, Вы нищенствуете, находясь по горло в родниковой воде, умираете от жажды! Это кощунство!

Познавая себя, познаем Бога! А это значит, что в нас Господом Богом вложено все: любить, творить, созидать. Остается только это в себе признать и проявить, а для этого пойдем дальше.

Тестирование «на педикулез» характера[1].

Рассмотрим четвертую волчью яму, в которую попадает хронический больной-неудачник.

Самая распространенная ошибка, самая большая опасность кроется в недовольстве собой.

---

[1] Педикулез — это заболевание кожи, вызываемое головными или лобковыми вшами.

Ненависть к самому себе — это ловушка, которая уничтожает любое созидание! Это саморазрушение! Если Вы не согласны, тогда предлагаем Вам мини-тест.

Ответьте, пожалуйста, на вопрос. Довольны ли Вы своей работой, здоровьем, внешностью, личной жизнью? Насколько Вы считаете себя реализованным в жизни?

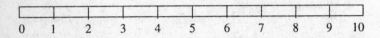

Поставьте себе общую оценку за прожитые годы по десятибалльной шкале. Не торопитесь. Вначале подумайте хорошенько, послушайте свой внутренний голос.

Ну как, получилось? Тогда проанализируем результаты.

Попробуем свой характер на вкус.

Родимый мой читатель! Приготовьте банку с медом или любимым вареньем, пузырек с цианистым калием и чистую розетку. Схема очень простая.

Если Вы поставили себе единицу, положите в розетку одну ложку меда или варенья и девять ложек цианистого калия. Вот это и есть Ваш характер.

Если поставили себе двойку, то две ложки меда и восемь ложек цианистого калия, будет более приятно на вкус, если Вы, конечно, успеете оценить это до того, как копыта откинете.

Вы молодец, если поставили себе оценку девять, потому что к меду или варенью добавите только одну единственную ложечку цианистого калия!

Вопрос: какая между ними разница? Кто дольше протянет? Значит тот, кто поставил себе восемь или девять, ничем не отличается от других самоубийц.

А для того, чтобы Вам хорошенько запомнилось мое состояние после общения с таким характером, как у Вас, сделайте следующее.

Возьмите вместо цианистого калия кошачью какашку такой же давности, как и Ваш возраст...

Те, кто поставил себе единицу, добавьте в свою розетку одну ложку меда и девять ложек какашечки. Остальные поступают точно так же, соответственно самооценке.

У кого вкуснее всего? У кого девятка? Девять ложек меда, одна ложечка этой пищевой добавки! Главное, хорошенько размешать!

Вы понимаете? Любое общение с Вами оставляет очень интересный привкус во рту. Вот эта гадость навсегда запомнится.

Однажды ко мне после такого занятия подошла дама и сказала:

— Что Вы со мной сделали? Я такая сладкоежка, но вот уже третий день на варенье вообще смотреть не могу!

Оказалось, у нее очень сильное воображение. А я специально говорю такие гадости, чтобы хорошо запомнилось.

Вы взрослый человек, возможно, намного старше меня, знаете больше, чем я, но могу сказать, что в одном, самом малом, я разбираюсь лучше, чем Вы, — в поведении хронического больного, неудачника в бизнесе или в жизни. Как-никак в этом копаюсь каждый день по десять часов вот уже двадцать лет!

То, что Вы говорите впервые в защиту своего положения, я уже слышал тысячи и тысячи раз. Вы не успеете рот открыть, а мне уже известно, какие слова Вы произнесете в оправдание того, почему не можете быть здоровы. Все это не ново.

Для меня не секрет, как люди оправдываются, как защищают свою болезнь. Но главное заключается в том, что знаю, как вытащить их из этих болезней и проблем. Да, именно так!

Я классифицирую двоечников, у которых выздоровление не наступает, и знаю, какие они аргументы приводят, как себя ведут. Вижу, какими бывают мимика, реак-

ция и поведение у людей, которые выходят победителями из недуга.

Вы уже прошли одно тестирование на «вшивость
характера», когда отвечали на вопросы: верите, надеетесь, сомневаетесь и т. д.

Вы нисколько не изменились с тех пор! Иначе и быть
не могло! Изучая людей, которые выходят из недуга здоровыми, я обратил внимание на удивительное различие в
сравнении с теми, кто застревает в болезни.

Те, кто выздоравливают, относятся к себе с уважением, благодарностью и признательностью. Они в любом
действии находят радость.

Вы себе поставили оценку. А по каким, собственно
говоря, критериям? А **На самом деле критерий — это
Ваш характер! Эталоном является стереотип Вашего
мышления.** Любой шаг в сторону радости увеличивает
Вашу печаль.

Вы для полного счастья хотели купить стенку. Купи-
ли! Ах! Через два дня Вам уже кажется, что она могла
бы быть еще лучше. Низковата, да и цвет не тот, что Вы
хотели, и не очень-то вместительная оказалась.

И каждый раз, когда смотрите, Вы, вместо того чтобы радоваться, — печалитесь. Вы хотели, чтобы она была
лучше!

«Я чуть-чуть не доволен домом, который построил.
Надо было бы сделать его чуть-чуть повыше, пошире.
Жаль, что в нем получилось только сорок комнат, вот
еще бы одну!»

И новый дом становится вечным упреком Вам за не-
дальновидность.

Такому человеку все время «чуть-чуть», самой мало-
сти не хватает до полного счастья. Он просто чуть-чуть
несчастен.

А разве бывает чуть-чуть больной?

Разве бывает чуть-чуть мертвый?

Чуть-чуть подлец?

Чуть-чуть предатель?

Чуть-чуть бессовестный?

Чуть-чуть беременная? Бывает или нет?!

Не бывает! Вы согласны?

Представьте себе, что чуть-чуть несчастный человек вдруг решил стать начальником, потому что ему именно этого не хватает для полного счастья. Он становится, например, руководителем фирмы.

Но он всего лишь несколько месяцев ходит счастливым. Через некоторое время опять появляется чувство какой-то ущербности.

Теперь для полного счастья он хочет стать директором. Становится им. Но счастья не прибавляется, его постоянно преследует ощущение того, что чего-то недостает. Чтобы защитить себя от несчастья, которое идет за ним по пятам, он стремится стать начальником управления. И так дальше, дальше, дальше...

И Вы вечно выдумываете, высасываете из пальца и находите причину для недовольства и к тому же еще и наслаждаетесь этим.

А что, разве не так? Эти умники даже лозунг придумали: «Недовольство достигнутым — есть удел прогресса!»

Утром встаете, целый день до самого вечера носитесь в поисках недостающего призрачного «чего-то», чтобы завтра быть счастливым. И так каждый день всю жизнь!

Вы всегда чуть-чуть хоть чем-то недовольны, и поэтому всю жизнь отстаете от счастья на один день.

Недовольство собой всегда приводит к разрушению любого созидания. Это болото, которое засасывает в трясину все начинания. Вы одной рукой строите, другой ломаете.

Когда Вы будете жить?! Когда?!

Когда Вы научитесь радоваться каждому вдоху?!

Вот сейчас сделайте вдох и выдох. В этот момент все, что ощущали, уже не вернете. Все!

Представьте себе, второго вдоха-выдоха может уже не быть. В этот момент, что Вы чувствуете, что Вы видите, кто находится рядом, из этого и складывается жизнь. Думайте не только о завтрашнем дне, но и сегодня уберите претензии к жизни, огорчения, обиды и т. д. и т. п.

Не откладывайте свою жизнь на завтра, живите, любите, творите, радуйтесь сегодня, сейчас! Да-да! Именно сейчас, родимый мой!

По той оценке, которую Вы поставили себе, можно сказать, что внутри Вас хозяйничает зло.

Вы в очередной раз измерили себя своим характером, прокричав: «Маловато!»

Любое приобретение или достижение в жизни в конечном счете приносит Вам еще большее несчастье, еще большее горе, разочарование и печаль.

Но самое страшное, что жизнь проходит. Человек, стоя на пороге вечности и оглядываясь назад, вдруг начинает понимать бессмысленность многих желаний, достижений, приобретений. Вот когда наступает истинное разочарование и печаль, но уже поздно.

Великий полководец Александр Македонский перед смертью понял, что он натворил и на что истратил свою жизнь. Он, завоевавший почти весь мир, просил похоронить его с открытыми руками.

И когда его несли к месту захоронения, его руки были вынуты из гроба и повернуты ладонями вверх, чтобы все могли видеть, что он уходит с пустыми руками. Чтобы люди поняли его ошибку и не повторяли ее в своей жизни. Это исторический факт.

Даже иголку Вы не сможете взять с собой. Так стоит ли с таким упорством тратить свою жизнь на приобретение материальных ценностей? Не забывайте о внутренней работе над собой!

Болезнь и характер — это зеркальное отражение друг друга.

Характер и судьба суть одно и то же.

Изменение характера приводит к изменению судьбы. На этом пути Ваш главный враг — Вы сами!

Пониженная самооценка — самая страшная разрушительная сила, это смерть. Ненависть — это яд. Человек, который ненавидит себя, ненавидит и окружающих.

Вы не согласны?

Тогда скажите, можете ли Вы любить другого человека, не любя себя? Можете ли Вы накормить кого-то, если Ваша кастрюля пуста?

Нет!

Человек, который не уважает себя, не сможет уважать другого.

Человек, который не любит, не принимает себя, не в состоянии любить.

Вы не сумеете дать то, чего у Вас нет. В одной из священных книг от Господа Бога говорится: «Возлюби ближнего, как самого себя».

Сейчас мы с Вами обсуждаем самые разрушительные стороны характера хронического больного-неудачника. Но, прикладывая усилия воли, характер можно изменить в лучшую сторону.

Значит, первое задание: выпишите в столбик все отрицательные черты характера, которые Вы хотели бы устранить, а рядом все положительные черты, которые хотели бы усилить и развить. Это задание — основа основ для многих упражнений, о которых речь пойдет ниже.

Портал в ад

Молодой император со своей свитой шел по городу. Народ падал ниц и ревел:

— Виват, Император!!!

А казначей следовал за ним и по взгляду повелителя осыпал народ золотыми монетами.

Люди готовы были отгрызть друг другу уши, выколоть глаза, копаясь в грязи в поиске упавших денег и вопили истошно, в уповании, что перепадет еще монетка-другая:

— Да здравствует Император!!!

Стража следила за тем, чтобы все кланялись властелину, и отвешивала удары плетью по хребтам тех, кто перед ним не склонял головы.

Один стражник обнажил меч, чтобы отрубить голову босому, грязному, оборванному непокорному монаху, который, гордо подняв голову, шел навстречу Императору.

Когда блюститель замахнулся мечом, то услышал зычный голос господина:

— Сто-о-й!!!

Он в удивлении остановился. Как это так! Ведь Император сам приказал, и уже не одна голова вольнодумца покатилась с плеч.

Но то, что произошло дальше, потрясло всех!

Молодой Император сошел со своего скакуна, подбежал к этому наглецу, стал на колени и поцеловал подол его засаленного халата.

Свита была изумлена. Ахнул весь народ. Что за чудо! Императора как подменили. Только потом кое-кто из свиты узнал в этом дервише Императора старшего. Несколько лет назад он отрекся от трона, передал власть сыну и ушел странствовать в поисках истины.

— Здравствуй, отец. С возвращением...

— Нет, нет, сын мой, я еще не возвратился. Я побывал на том краю Земли, а теперь должен идти на другой край, и путь мой лежит через твою страну.

— Это твои владения, отец!..

— Нет, сынок, это твои владения.

— Ты плохо выглядишь, отец, очень сильно похудел. Коня Императору!

— Нет, нет, не надо. Ты же знаешь, я дал обет — ходить пешком и нищенствовать. Если очень хочешь помочь старому больному отцу, положи мне в эту чашу несколько медных монет, чтобы я смог купить хлеба. Больше твоему отцу ничего не надо.

Смутился сын, увидев эту маленькую грязную деревянную чашу для подаяния.

— Казначей!!

Прибежал казначей.

— Наполни эту чашу.

— Сынок, больше, чем эта чаша, я никакого подаяния взять не могу.

После первой горсти народ загудел, увидев, что какому-то нищему подарили целое состояние. Каждый был готов задушить этого оборванца. Они кричали:

— Виват Император! Такому нищему — такое богатство!

А у казначея глаза на лоб полезли. Монеты сыпались в чашу, а чаша оставалась пуста.

— Что за чудный сосуд, отец?

— Казначей, ты что уставился?! Насыпай!!

И с каждой горстью он удивлялся все больше и больше. Пудовый мешок золота ушел в эту чашу, но она осталась пуста.

— Но что за странный сосуд, отец?!

— Сынок, ты видишь, в какую беду твой отец попал? Если можешь, накорми меня сегодня.

Сын взял чашу, удивленно покрутил в руках, со всех сторон посмотрел и гневно со стуком поставил ее на пыльную дорогу, и приказал:

— Заполнить!!!

Мешок за мешком несли слуги, пока казначей не сказал:

— Повелитель! Золото закончилось!

— Пошлите гонцов, пусть привезут еще! Пока не заполнится эта поганая деревяшка, не тронемся с места!

Много тяжелых мешков было опустошено в эту чашу, но она по-прежнему оставалась пустой. На сороковом мешке не выдержал сын:

— Что за сатанинский сосуд? Что за дьявольскую чашу ты принес, отец! Сорок лошадей золота ушло, а она до сих пор пуста! Как и чем она заполняется?

— Ах, сын мой, я счастлив, ох, как я счастлив, что ты оказался догадливее меня. Ты на сороковом мешке золота спросил меня, что это за чаша. А я, чтобы понять это, кинул в нее всю свою жизнь, полмира, тысячи наложниц, все мыслимое и немыслимое богатство Земли. Сынок, и здоровье свое туда бросил. Я ВСЁ бросил туда, а эта чаша осталась пуста. Потому что она изготовлена из моих желаний. Это чаша желаний...

И у Вас, дорогой читатель, есть эта чаша.

В погоне за очередным желанием Вы кинули в нее молодость, здоровье, красоту, счастье.

Она поглотила душевный покой, радость жизни, она не дала воплотить Ваши истинные, сокровенные мечты. В эту чашу Вы бросили всю свою жизнь.

Впереди, быть может, осталась одна треть. И если не закроете эту чашу сейчас, она затянет и оставшуюся Вашу жизнь.

Неужели Вы не видите этого?!

Каждый раз, когда Вы говорите «мало!», Вы тренируете в себе отрицательное отношение к себе и ко всему достигнутому, обесцениваете все прожитые годы, всю жизнь!

Придираясь к себе, Вы продолжаете сравнивать себя с другими не с лучшей стороны! Заниженная самооценка взялась из чаши желаний — это основа основ несчастья, неудовлетворенности, неудач...

Загляните в себя.

Если бы Вы даже восстановили зрение на 100% за один день, Вы все равно были бы недовольны. Не так ли?

Измените, пока не поздно, отношение к себе, к окружающему миру и к жизни, найдите внутри себя что-то истинное, ценное, подлинное, вечное и развивайте.

Вот сейчас поднимите правую руку. Погладьте себя по голове хотя бы за то, что Вы, читая эту книгу, предпринимаете попытку заняться своим здоровьем, восстановить зрение.

Даже если у Вас что-то не получается — это только поначалу. Научитесь прощать себе мелкие промахи и ошибки. Создайте к себе благодарность просто за то, что Вы есть.

Всегда можно найти, за что себя похвалить.

Желая что-то для себя изменить, оставаясь таким же, Вы тешите себя иллюзиями. Извините, но бесполезно смазывать язву, если внутри находится ржавый гвоздь, все равно рана будет раскрываться. Ржавый характер, который находится в Вашем теле, и довел его до ручки.

Как бы ни было трудно, за каждый день, за каждую выполненную работу нужно заставить, усилием воли вызвать к себе уважение, потому что именно отсюда начнется созидание Личности.

Вы думаете, только у Вас есть проблемы?

Их у всех предостаточно! Не зря говорят: «В каждом дому по кому». Но главное — есть такое правило: если не можешь изменить ситуацию, измени отношение к ней.

Все познается в сравнении. Именно поэтому можно сказать, что жизнь прекрасна во всех ее проявлениях.

Может, у кого-то нет мужа, и от этого они страдают, переживают, мучаются. Да Вы только посмотрите на этих замужних «загнанных лошадей»! Да Вы просто счастливый человек!

Может быть, Вы недовольны мужем, тогда посмотрите на одиноких женщин, какими голодными глазами они смотрят на Вашего мужа.

Все постигается в сравнении.

Если считаете себя очень старым человеком, то я поговорю с Вами через лет двадцать. Тогда Вы скажете: «Ой, какая я была молодая, сама в туалет ходила!»

Это жизнь!

Не ждите, когда пройдут двадцать лет, чтобы оценить радость сегодняшнего дня!

Может, Вы печалитесь от того, что у Вас болезнь тяжелая? Но болезнь болезни рознь.

Например, у Вас язва желудка. Вы приходите к доктору, а он говорит:

— Вы давно не были у врача?

— Я вообще не хожу к врачам.

— Ну, вот, допрыгались, — говорит врач, — у Вас запущенная форма онкозаболевания.

Вы начинаете плакать:

— Доктор, скажите, может это все-таки язва, а..?

Теперь Вы были бы рады услышать сообщение о том, что у Вас язва желудка. Оказывается, столько лет страдали из-за этого, и вдруг сейчас Вы начали мечтать о ней!

Вы идете домой сквозь густой туман в сознании, и Вас больше ничто не интересует. Вы знаете, что осталось совсем мало жить, и все вокруг потеряло смысл.

Вас больше не интересует, что думают о Вас люди, почему не здоровается сосед, какой у Вас дома ковер, новый или старый!

Все ценности, на приобретении которых Вы потеряли здоровье, — это мираж!

Железяка проржавеет, исчезнет, а Вы жизнь свою в эту железяку превратили!

Мебель сделается трухой, а Вы часть своей жизни уже израсходовали на эту мебель! Все пусто в этом мире, все иллюзорно, все тленно.

Что остается от человека? Кроме доброй памяти — ничего!

Произошла переоценка ценностей. То, из-за чего Вы еще вчера переживали, мучались, страдали, сегодня выглядит мышиной возней.

Только теперь Вы поняли настоящую цену вещам и событиям в жизни, но, увы...

Через две недели получаете вызов из поликлиники. Приходите, а врач чуть ли ни на коленях умоляет Вас:

— Ради всего святого!!! Простите, пожалуйста!!! В лаборатории, оказывается, перепутали анализы. У Вас язва желудка.

Вы выходите на улицу и радостно кричите:

— У меня язва!!! У меня я-я-зва-а-а!!!..

Все познается в сравнении, мой родимый. Все наши печали, все радости относительны. Постарайтесь ценить каждую минуту своей жизни. Миг — и она пройдет!

Давайте будем учиться даже в чем-то самом плохом находить что-нибудь хорошее. На одну и ту же проблему можно посмотреть с разных сторон, по-разному оценить и подойти к ее решению. Вот Вам пример.

Два ученика-курильщика гуляли по саду и не решались закурить. «Завтра нужно спросить учителя, можно ли нам курить?» — решили они. На следующее утро один из них приходит очень расстроенный и видит, что другой курит.

— Как?! Ты куришь?! — удивился он. — А мне учитель не разрешил.

— А что ты спросил у него?

— Я задал ему вопрос: могу ли я курить, когда медитирую? — он меня прогнал и выглядел очень рассерженным.

— Вот в чем дело! А я спросил: могу ли я медитировать в то время, когда курю? И он ответил: «Да».

ЧТО ВЫ ОЩУУУЧАЕТЕ, когда думаете о лимоне?

А сейчас посмотрим, как действует наше воображение. Как действует сомнение или вера в свое выздоровление?

Посмотрим это на примере «ОБРАЗА ЛИМОНА».

Расположитесь, пожалуйста, удобно. Глазки закройте. О, нет, нет, пардон, подождите. Сначала прочитайте, что нужно будет сделать с закрытыми глазами.

Мысленно представьте спелый, сочный лимон.

Возьмите его в руку, ощутите чуть шероховатую, пористую, упругую поверхность, почувствуйте его вес, объем. Представьте цвет, запах, блики света на лимоне.

Поднесите его к лицу, вдохните аромат полной грудью. Вспомните, какая у него прохладная, влажная, нежная, сочная мякоть.

Мысленно широко откройте рот и откусите большой кусок.

Рот закройте! Я попросил открыть мысленно!

Ешьте лимон как яблоко. Холодный, кислый, душистый сок растекается по всему рту. Проглотите его и продолжайте жевать лимон с кожурой без сахара.

Откусите еще кусок. Замечательно! Доели до конца? Получилось? Молодец!

Теперь посмотрим, как организм реагировал на этот воображаемый лимон. Слюна во рту появилась? Да?!

Тогда вопрос: Вы давили на свои железы? Говорили им:

— А ну-ка, вырабатывайте слюну!?

Вы говорили своему желудку:

— А ну-ка, выделяй желудочный сок?

Вы этого не делали, а просто представили, что едите лимон и все, остальную работу сделал без Вашего участия организм. Желудок уже приготовился переваривать несуществующий лимон и сейчас сидит в обиде на Вас, заглядывая снизу вверх в пищевод:

— Придурок, ты обещал лимон, а теперь не даешь! Где он?

«Образ лимона» — это один из механизмов, который лежит в основе нашей работы над собой. Это только один из ключей, которые мы даем в этой книге!

Принцип работы мозга у взрослых людей одинаков, т. е. мозг работает через посредников, роль которых выполняют слова. Слово «здоровье» — это и есть тот посредник, через которого Вы хотите иметь то, что называется здоровьем.

Попробуйте сейчас закрыть глаза и подумать о здоровье. Думайте, думайте. Напрягите и посильнее то, чего в голове нет, т. е. извилины. Ведь то, что тренируется, то развивается.

Что в голове и теле возникает? А?

Да ничего!!!

Давайте поучаствуем еще в одном маленьком эксперименте на тему: «Я хочу быть здоровым». Опять же упражнение с поэтическим научным названием «Жратва».

С закрытыми глазами вспомните огромный спелый бенгальский орех, откройте рот и откусите от него кусище, да побольше!!! Жуйте, жуйте хоть до конца света!

Ну ка-а-к, получилось?

Точно знаю, какой вопрос возник у Вас в голове.

Что такое бенгальский орех?

Скажу как мужчина емко и точно: а хрен его знает!

Если бы знал, то обязательно описал бы. Это словосочетание сам придумал!

Когда Вы ставите цель «я хочу быть здоровым», Ваш организм точно так же реагирует с недоумением, как Вы сейчас на «бенгальский орех», и спрашивает:

— А что это такое? Хозяин, объясни, что ты хочешь! Опиши мне понятным языком.

Почему на лимон организм реагировал?

А потому что, когда Вы думали о лимоне, в первую очередь Вы представили объем, вес, цвет, запах, не так ли? Значит, разница, оказывается, в том, что больной человек, говоря, что хочет быть здоровым, ставит свой организм в тупик. Получается, он хочет того, не знает чего!

Любое Ваше высказывание «я хочу быть здоровым» организмом воспринимается, как «моя твоя не понимает».

Он просит:

— Ну, что ты хочешь? Ну покажи мне, что тебе сделать?

Слово «здоровье» для него абракадабра. Потому что оно относится ко второй сигнальной системе, которая в отношении выздоровления действует очень слабо.

А вот на слова «таракан у Вас в трусиках» сразу мурашки побежали по телу.

Побежали или нет?! Если нет, тогда поймайте одного жирненького и отпустите в штаны. Запомните! Вот так!

Но, скорее всего, Вы без эксперимента прекрасно все прочувствовали! Это потому, что тараканов видели, штаны носите, сразу реально представили образ, и возникла реакция.

Вот здесь нашел еще одну закономерность застревания больного в недуге. От благого намерения, от благого стремления быть здоровым Вы попадаете в никуда.

Внимание! Когда Вы приступите к работе над зрением, поставьте ясную, четкую и конкретную задачу. Организм сразу начнет воплощать ее.

Искусственно создавая образ выздоровления, создавая радость за то, что выздоровеете, Вы осознанно начинаете управлять организмом, потому что задаете ему конкретную задачу. И он вынужден, не увиливая в сторону, подчиняться и выполнять.

В «Образе лимона» Вы о слюне и не думали, реакция получилась сама собой. Организм отзывается на образ.

Вывод таков: мысль и образ материальны.

Значит, с помощью образа Вы берете под свое управление весь организм. Это главная тронная заповедь.

А сейчас еще одно подготовительное упражнение: «ОБРАЗ ПЯТИ ПАЛЬЦЕВ».

Поставьте перед лицом ладонь и выберите один из пальцев на руке. Смотрите на него внимательно без отрыва. Начните с любовью его изучать, просматривать изнутри и снаружи. Передайте свои мысли этому пальцу через глаза, через душу, через дух. Вложите в это упражнение самые светлые, искренние чувства. Не забывайте об улыбке.

Что Вы замечаете? Какова чувствительность этого пальца по сравнению с остальными?

Вы заметили, что с каждой секундой он по ощущениям все больше отличается от других.

Чем именно?

Что Вы там ощущаете?

Тепло? Тяжесть? Покалывание? Набухание? Пульсацию?

Все это правильно. Могут быть и другие индивидуальные ощущения!

Некоторые слушатели курсов говорят:

— Я чувствую только этот палец. Остальные как будто не существуют.

Обострение внимания к какому-то участку тела вызывает подключение дополнительных рецепторов, повышает его информативность. Ваше внимание меняет чувствительность там, куда Вы его направляете.

Таким образом, Вы на тот участок оказываете влияние, причем как положительное, так и отрицательное, в зависимости от того, какие эмоции и мысли туда вкладываете.

Тот же самый механизм подключается, когда Вы работаете с глазами. Это так называемая идеомоторная реакция организма на мысли.

Вы сейчас чувствуете свою спину?

Неожиданный вопрос? Конечно, да!

А если там какая-нибудь букашка ползает? Внимание обостряется, и оттуда Вы получаете полную информацию от прикосновения ножек этой букашки.

Значит, обострение внимания в области какого-то участка тела вызывает в мозгу повышенную информативность этой зоны. А проявляется это в виде повышенной чувствительности...

Или другой пример. Я не надоел Вам своими примерами? Хорошо!

Вы купались когда-нибудь в речке или в море?

Дурацкий вопрос, конечно, да!

Тогда, закрыв глаза, вспомните полдень жаркого дня. Синее небо, вода искрится под лучами яркого солнца, летают белоснежные чайки, вдалеке видны паруса, слышна музыка. Дети радостно визжат на берегу.

Вы заходите в воду до уровня плеч. Волны набегают одна за другой, ласкают тело. Постарайтесь представить поярче, и Ваше тело будет отвечать.

Какое наслаждение! Легкий ветерок обдувает влажное лицо. Закройте глаза и представьте, как Вы стоите в воде. Вот прошел катер, приближается большая волна. Вы ждете ее с замиранием сердца. Следующая волна.

Вы балдеете, а крокодил-то, в упоении ожидая встречи с Вами, медленно-медленно приближа-а-е-тся к Вам под водой, готовя свои губы-зубы для лобзания Вашей попочки!

Что Вы ощущаете?

Легкое покачивание и мороз по коже в жаркий полдень!

Это и есть идеомоторный ответ. Каждая клеточка тела реагирует на Ваши мысли.

Значит, уверенность в своих силах будет отражаться всюду, во всем теле, в каждой клеточке!

Когда Вы верите, что Вы ЧЕЛОВЕК с большой буквы, когда Вы знаете, что Вы самая красивая женщина в мире, что Вы мужчина что надо, тогда и внешность, и поведение, и результаты любых Ваших усилий будут соответствовать внутреннему состоянию. Мысли материальны, дорогой мой, не забывайте об этом!

Древние говорили: «Прежде чем подумать — подумай».

ПРИМЕРИМ ОБРАЗ МОЛОДОСТИ, он Вам к лицу!

Дорогой читатель! Вы согласны, что в настоящее время люди стали хуже, злее, агрессивнее, завистливее, чем, скажем, пять лет назад? Да?

Тогда вот Вам ответ. Если вокруг все плохие, ищите причины в себе. Какой Вы, таковы и окружающие люди, таков и мир вокруг Вас. Подобие узнает подобие. Понаблюдайте сами!

Только сильный человек никогда не обижается, никогда не нападает. Посмотрите в природе, какая собака громче гавкает и на всех кидается?

Маленькая Жучка, которая сама хвост поджимает и хочет забиться в угол. Живет по принципу: лучший метод обороны — нападение.

И человек, когда себя ни в грош не ставит, когда отношение к себе, как к слабому существу, он становится похожим на шавку. Гавкает, на всех бросается, все вокруг такие сволочи! Где слабый дух, там вперед выходит агрессия.

Так что давайте не будем показывать свою слабость и начнем создавать внутри образ совершенства. Согласны?

Тогда ответьте на вопрос: чем отличается мышление взрослого человека от мышления ребенка? Ответили?

А вот чем!

Дети мыслят образами, а взрослые — словами. Поэтому сейчас нашими учителями будут дети. Нам с Вами предстоит путешествовать в детство, путешествовать в юность.

Вы готовы?

Вам будет тяжеловато, потому что у нас с Вами такое исковерканное восприятие, такие мы с Вами повзрослевшие, как старый трухлявый пень на морозе.

Особенно трудным это упражнение покажется бухгалтерам, экономистам, инженерам и тем, у кого желудочно-кишечный тракт имеет очень большой вес.

Сейчас мы будем создавать свой идеальный образ, где внешне Вы — сам идеал, внутренне — сама гармония, где вообще отсутствует болезнь. Где лицо молодое и доброжелательное, а не старое и мымрообразное, а щеки из-за спины сияют румянцем!

Постарайтесь приблизиться к эталону естественности. Дети фантазируют, думают путем образа, а взрослые думают через слова.

Когда мы говорим «огурец», ребенок сразу представляет упругий, зелененький, весь в пупырышках, ароматный огурчик. А взрослый дает определение, словесную формулировку: «Огурец — это огородное растение из семейства тыквенных с продолговатым зеленым плодом», а потом старается вникнуть и представить предмет по его описанию.

Разница есть?

Образ здоровья, образ юности — это заменитель слова «здоровье». Бенгальский орех помните? Во-о-т!

Слова «здоровье» и «бенгальский орех» одинаковые по своей сути.

Значит, сейчас будем фантазировать, создавать объект нашего подражания, эталон, идеал, на который потом будем равняться внешне и внутренне.

Постарайтесь делать это как раньше, в детстве. Вспомните, пожалуйста, как Вы в детстве танцевали, как играли.

Или понаблюдайте, как дети играют?

Для меня, например, это было откровением. Однажды дома я сидел, работал за своим письменным столом, а дети — моя дочка и ее подруга из соседнего дома вдвоем играли в прятки.

В комнате есть только одно кресло и пара одеял в углу.

Знаете, как они ищут друг друга?

Одна закрыла голову, все остальное торчит, а вторая ходит, ищет, но не видит!!! Понимаете?! Ну не замечает! Она вошла, глаза смотрят, но не видят.

Как Вы думаете, она притворяется, что не замечает?

А через некоторое время, когда пора наступает, находит. А та, которую находят, так пугается, аж писк-визг стоит! Ведь так хорошо спряталась, заткнув свою голову под одеяло.

Я на них посмотрел, у них мимика была настоящего испуга, настоящей радости. Все по-настоящему.

Почему я вдруг об этом вспомнил и почему заговорил о детях вообще?

Тогда малюсенькое объяснение, откуда возникло упражнение, которое мы с Вами сейчас будем выполнять.

Однажды мой друг из газеты позвонил и сказал:

— Слушай, поедем на море. У тебя есть время?

Я говорю:

— Есть!

— Едет целая группа психологов, я — как журналист. Хочешь, я тебя включу в список, ты ведь психолог? Представляешь? В Крым на 35 дней, за казенные деньги. Море, вино, шашлык, девочки, кустотерапия...

Я согласился. Халява кому не нравится, скажите, пожалуйста?!

Это сладкое слово «ха-ля-ва».

Поехал. И оказался в санатории для детей-инвалидов сирот дошкольного возраста, страдающих сахарным диабетом.

В первый день у меня был тако-о-й шок!.. Какое там море?!! Какие девочки?!! Какая кустотерапия?!!

Я начал интересоваться, для какой цели мы приехали? Зачем здесь понадобились психологи?

Оказалось, на одном берегу расположены три одинаковых санатория.

Все лекарства они получают из одного аптечного управления, продукты питания берут с одного продовольственного склада. Воздух, море — все одно и то же!

Почему только в одном из трех происходит выздоровление детей от диабета, а в двух других нет?

Вот из-за этого туда неоднократно направлялись комиссия за комиссией, которые все проверили, но ничего не установили и в конечном итоге сказали: «Только психологи могут найти причины выздоровления детей в этом санатории».

И я, случайно оказавшись на халяву среди психологов, обрек свою голову на страдания.

Московские психологи две недели поработали, отписку сделали, отдохнули, уехали. А я там застрял на три месяца, потому что мне надо было докопаться до истины.

Кроме всего прочего, получилось так, что на моих ушах, на моей шее повисли дети четырех-пяти лет, считая, что папочка приехал. Может быть, именно поэтому позднее я усыновил троих детей.

Мне надо было найти настоящие причины выздоровления детей. Нашел. Благодаря этому Вы тоже будете выздоравливать.

Примерно через месяц-полтора наблюдений я начал замечать, что игры этих детей чем-то отличаются от других.

Именно в детском восприятии, именно в детской искренности, именно в детском воображении кроется секрет.

Так каким же путем они выздоравливают? Как срабатывает детское воображение? Прежде чем узнать это, мы должны знать, как относятся к болезни дети?

И как же?

Да никак!

Они просто через короткое время, дней через десять, привыкают к болезни как к своим штанишкам. У них ко всему происходит адаптация.

Единственное, к чему дети не могут привыкнуть, к чему у них есть постоянная тяга от природы, — это инстинктивная потребность в родительской любви и защите. Мать-природа так устроила, что ребенок должен быть около взрослых.

Внимание, ключ!

Какая особенность есть у детей? Они всегда вечно голодные во внимании, ласке, любви, особенно маленькие дети. Сколько Вы ребенка ни ласкайте, ему все равно мало. Через две минуты опять голодный около тебя стоит.

А представьте ситуацию. Отец пришел домой, телек подключил, ребенок подходит:

— Ну, что? Как дела? Как день прошел? Иди сюда, поцелуй папочку. Чмок! А теперь иди к мамочке, иди, не мешай папочке. Иди к бабушке!

Все. Ребенок не получил того, в чем испытывал колоссальную потребность.

А мамаша тут же подзатыльник:

— Не лезь в горячую духовку, обожжешься.

А бабушка, вместо того чтобы приласкать, сидит и воспитывает:

— Хорошие девочки вот таки-и-ми должны быть. Хорошие мальчики так себя не веду-у-т.

И вдруг, когда ребенок заболевает, происходит чудо. Отец забыл о своем телевизоре, на задних лапках прыгает, готов выполнить любое желание.

Мамочка, которая не дает в горячую духовку голову пихать и шлепает всякий раз по попочке, кружится, ухаживает, переживает.

Бабушка сказки читает, песенки поет. И дедушка откуда-то появился пыхтя. Все над головой.

Происходит запись: утоление голода и жажды любви связано с болезнью!

Я спрашивал у малышей:

— Моя милая, скажи, пожалуйста, когда ты очень хочешь, чтобы тебя погладили по головушке или что-то хорошее сказали, что ты делаешь?

Двое из троих отвечали:

— Говорю, что голова болит или животик болит.

Получается, что ребенок как бы притворяется, Вы согласны? Но...

Ребенок не может притворяться, потому что его мысли моментально материализуются в теле, и они начинают болеть по-настоящему.

Те дети, которые находятся с родителями, оказывается, болезнь воспринимают как источник ласки, заботы, внимания, любви. А у детей-сирот тоже огромная генетическая тяга к ласке, природная потребность быть под защитой.

Эти малыши подходят к работникам санатория, воспитателям, врачам и спрашивают:

— А почему у нее есть родители, а у меня нет?

Воспитатели же не могут сказать: «У тебя родителей вообще нет» и отвечают:

— У тебя тоже есть.

— А где мои родители?

— А почему тогда они не приходят, не забирают меня?

— А когда моя бабушка приедет? Когда дедушка?

Им говорят:

— Ты сейчас болеешь. Вот когда выздоровеешь, они придут, заберут тебя.

Работающие там, оказывается, сами не знали, что их обман сработает на выздоровление! Они-то знали, что болезнь неизлечима.

И дети, чтобы удовлетворить свое ненасытное желание быть нужным, любимым, интуитивно начинают искать пути.

И оказалось, что этот великий внутренний зов способен уничтожить любую страшную болезнь.

Двух-трехлетний ребенок начинает интересоваться:

— А что такое болезнь? А что такое выздоравливать?

Ему объясняют:

— У тебя в крови много сахара, понимаешь? Ты сахар не ешь!

Малыши начинают очень быстро вникать, что от источника любви, защиты, покоя его отделяет какой-то Бармалей, который называется болезнью.

Я подружился там с цыпленком, трехлетней девочкой, и спросил у нее:

— Вот скажи, пожалуйста, что означает твоя болезнь?

Она объяснила:

— У меня внутри много-много кусочков сахара друг за другом ходят. Вот из-за этого мои родители ко мне не приезжают.

— А когда ты очень тоскуешь по родителям, что ты делаешь, чтобы они скорее пришли?

Она, держа в своем кулачке мой мизинец, привела меня во двор.

А там стоит штук семьдесят разноцветных пластмассовых ванночек. Утром работник санатория заполняет их из шланга морской водой.

Вода под солнцем нагревается, и к обеду детей в этот лягушатник запускают. Они там барахтаются.

Девочка залезла в ванночку и начала там плескаться, приговаривая какие-то слова. С трудом понял. Она, оказывается, бесконечно говорила: «Я сахар, я сахар, я сахар».

Я спрашиваю:

— А зачем ты говоришь «я сахар»?

До сих пор вспоминаются глаза в пол-лица, смотрит на идиота. Как может такой взрослый человек не понять самого понятного! Сахар-то в воде исчезает!

Воображение у детей работает буквально. И они каждый по-своему играет, а эта игра, оказывается, их исцеляет.

Только потом, когда я рассказал об этом воспитателям, они в один голос воскликнули: «Ах вот почему многие наши малыши второй раз в эту же самую воду не забираются».

Они видят, оказывается, что «враг» там растворился, и ждут, когда эта вода уйдет. Понимаете?

Общаясь друг с другом, они быстро передают опыт выздоровления, «технологию добывания своих родителей». Я узнал у них несколько способов. Одним из них поделюсь с Вами.

Итак, сегодня мы будем фантазировать как дети.

Постарайтесь дать волю своему воображению, увидеть себя, ощутить, почувствовать в этой фантазии — все, что Вы считаете свойственно гармоничному человеку, совершенному человеку.

Договорились?

Значит, будем впадать в детство.

Зачем нам это?

Вот обратите внимание! Мы с Вами общаемся, я Вам что-то объясняю, доказываю. А Вы сомневаетесь, не верите, делаете вид, что думаете о чем-то...

А я, когда раньше с детьми работал, заметил такую особенность: сто очкариков из ста быстро восстанавливают зрение.

Они приходят на занятие. Их внимания хватает максимум на пять минут, уже через пять минут начинают отвлекаться, ерзать, потом общаться друг с другом, разговаривать. Они только делают вид, что слушают. А на самом деле вообще ничего не понимают, не вникают, им до лампочки.

О чем бы я ни говорил, они запоминают только последнюю пару фраз, все остальное не помнят. Потому что им умные доказательства не нужны.

Весь парадокс в том, что они не понимают, о чем идет речь, они ничего не спрашивают, не уточняют. Когда я говорю:

— Дети, домой! — они с радостью исчезают.

Но тогда почему зрение у всех восстанавливается? Из двухсот детей у двухсот зрение восстанавливается. Не было такого случая, чтобы результат был у ста девяносто девяти — у всех!

Из ста глухих детей у всех начинают «открываться» ушки. Они даже не понимают, о чем я говорю, но у всех стопроцентный результат.

Как-то на занятии мы им сказали:

— Знаете, дети, наши взрослые слушатели, ваши мамочки, папочки, дедушки и бабушки, свои шрамы убирают. Вы над шрамами ещё будете работать, делать специальное упражнение.

На следующий день приходит ребенок:

— А у меня шрам исчез!

Им только один раз сказали, что взрослые сами убирают шрамы, и все! Этого оказалось достаточно. Никакого упражнения с ними не делали. Но шрам исчез...

Что это такое?

Просто дети думают образно. Желания, стремления детей всегда воплощаются как бы сами собой. У них вторая сигнальная система сильно не развита, слава Богу!

Вторая сигнальная система — это слова, речь — посредник в нашем восприятии окружающего мира. Разговорная речь — самая легкая, самая простая, самая примитивная форма общения.

В этом примитиве у нас, взрослых, и происходит застревание. Потому что когда Вам говорю, чтó надо делать, кáк надо делать, я Вам говорю через противогаз:

— Посмотрите, какой прекрасный, душистый цветок!

А Вы смотрите, нюхаете через противогаз и говорите:

— Не понял! Ты мне еще раз объясни!

Вторая сигнальная система — это, образно говоря, противогаз, через который мы хотим уловить запах.

Попробуйте вспомнить себя в детстве.

Я, например, в прошлом году встретился со своим детством. Когда был в родительском доме, зашел на чердак. Просто вдруг вспомнил, что здесь у меня была комната, огромная комната, где я ходил лет тридцать тому назад. Это был мой дворец.

Я пришел туда, а мой тайник найти не могу. Кроме толстого слоя пыли, ничего! И вдруг внизу, где шифер уходит к углу, там увидел знакомые очертания.

Подошел, опустился на корточки и вот так зашел туда. Оказывается, рост у меня был такой, что я там ходил с гордо поднятой головой.

Нашел то место, где всегда хранил свое богатство. Когда открыл, там были кусочки от фарфоровых чайников, побитые пробки от лимонада, денежки — чайная фольга, фантики от ириса «Золотой ключик» и обертки от шоколадных конфет «Чайка», которые получил в подарок на Новый год. Я ходил с растопыренными карманами, потому что все это носил с собой.

Помню, у меня была игрушка, какой не было ни у кого больше. Это был настоящий автомобиль. Он мог ездить везде и по батареям, и по подоконникам, где угодно. А на самом деле это просто кусок от мотоциклетного аккумулятора.

Понимаете, насколько богато детское воображение? Вспомните себя, где остались нераскрытыми Ваши сокровища, где зарыты клады.

Значит, когда мы сейчас будем фантазировать, попытайтесь фантазировать, как в детстве.

В этой фантазии постарайтесь увидеть, ощутить и запомнить себя именно таким, каким Вы намерены быть, увидеть, как выглядят Ваши ноги, руки, торс, лицо, глаза. Каково там внутри, в душе? Ощущение легкости, гармонии, безмятежности, счастья.

Сначала мы выдумываем, создаем образ, как художник, а потом запоминаем бархатность кожи, упругость тела, покой в душе и т. д. Теперь мы попробуем работать не только с глазами, но и со всем организмом. Начнем фантазировать.

Представьте, что Вы бессмертный человек. Вы могли бы людям открыть свою тайну? Вы могли бы кому-нибудь рассказать о своем бессмертии? А?

Нет! Вас разорвут на тысячи кусочков, чтобы в лабораторных условиях изучать, исследовать и, в конечном итоге, найти способ, как самим стать бессмертными.

Они начнут бесконечно экспериментировать, и Вы не сможете помешать этой толпе людоедов. И вот из-за этого Вы вынуждены, находясь среди людей, выглядеть, как все, как все стареть, а потом каждый раз уходить, менять место жительства? А потом возвращаться на старое место как сын, внук того, кем Вы были тогда.

Теперь о том, как Вы оказались бессмертным.

Более 10 тысяч лет назад на Ваше племя напал неприятель, и были уничтожены все. Вы единственный, кто уцелел в этой резне, израненным уходили от преследования.

Враг шел по следу, и уже спиной Вы чувствовали его горячее дыхание. Стрела в одну ногу, стрела в другую ногу. Вы в ужасе заползли в горную пещеру и, стараясь укрыться от приближающихся шагов, прислонились к скале.

Здесь оказалось какое-то ослабленное место на границе с параллельным измерением. Ваш внутренний ужас запустил какие-то механизмы, и вдруг, протиснувшись в узкую щель, Вы провалились туда, упали в соседнюю пещеру и там просидели несколько дней.

Ваши раны как-то неестественно быстро зажили, силы восстановились, и когда Вы окрепли и вышли на поверхность, то заметили, что все вокруг как будто в зеркальном отражении.

Солнце встает с другой стороны. И время идет в обратном направлении.

За тем холмом Вы искали свое селенье, но не нашли. Кроме буйной травы ничего! Никаких следов пребывания человека.

Вы опять возвратились в пещеру и стали вспоминать, как попали сюда, как нашли щель на изломе двух миров. И с того момента началась Ваша жизнь.

В этом мире Вы стареете как все, болеете, страдаете, переживаете все, что свойственно обычным людям. Но в один прекрасный момент, когда Вам становится невмоготу: болячки, седина, морщины одолевают, Вы приходите в горы, открываете дверь в другое измерение и уходите в тот мир, где время течет вспять.

За короткий период Вы начинаете обновляться, потому что там действует закон компенсации. Но вся беда заключается в том, что тот мир открыт только для Вас.

Никто другой не может пройти туда. И так как человек не выдерживает одиночества, Вы вынуждены вновь и вновь возвращаться к людям.

Вы видели, как строились пирамиды, как люди растаскивали чистую голубовато-белую глазурь, покрывающую эти пирамиды. Вы видели, как разрушался Вавилон, Вы были в рядах Чингисхана...

И там есть дом, который Вы построили собственными усилиями тысячи, тысячи лет тому назад. Двухэтажный маленький домик среди слияния четырех стихий.

Там пыль и тление отсутствуют. Все хранится в нетронутом виде. Каждый гвоздь, каждая дощечка — все находится в первозданном виде. Этот ковер подарил Вам сам Император. А рыцарские доспехи принадлежали отцу Генриха IV.

На втором этаже Ваша спальня. Окна открываются на четыре стороны. Представьте. С одной стороны океан, с другой — бескрайние поля, уходящие за горизонт, с третьей — благоухающий лес с залитыми солнцем цветочными полянами, с четвертой — горы. Вы пришли вечером, помылись и легли в постель...

Начнем с момента пробуждения. Окна настежь открыты. За ночь регенерация в Вашем организме уже начала происходить. Белый тончайший тюль колышется у окна. Глазки закрываем.

...Океан... Утро... Вы в постели... окна открыты настежь. Легкий прохладный ветерок, неся в себе запах земли, запах цветов, запах гор, запах хвойных лесов, влажный от росы, запах океана, осторожно с любовью гладит Ваши волосы, Ваше лицо и шепчет Вам:

— Доброе утро, радость моя! Доброе утро, любовь моя! С возвращением! Открой глазки! Тебя ждет волшебный день!

Создайте образ, представьте!

Вы мысленно потя-я-я-гиваетесь, нежно, с наслаждением. Открываете глаза и видите, как поднимается солнышко. Постепенно пробуждаясь, как ребенок, поднимаете свою головушку с подушек-облаков.

Вокруг птички ликуют, сходя от радости с ума, потому что каждое Ваше появление в этом мире вызывает укрепление всего живого, укрепление всего, что там есть. Вы действуете на этот мир омолаживающе, и он на Вас точно так же.

Вы встаете. Представьте! Босиком ступаете по прохладному полу, спускаетесь по лестнице, выходите на крыльцо и...

О, Боже!.. До чего чисто, до чего свежо, до чего прекрасно!.. Ушли вчерашнее утомление и усталость. Еще раз мысленно с хрустом потя-я-гиваетесь...

Перед Вами песчаный берег океана, прозрачная гладь воды. Вы берете полотенце и по еле заметной тропинке, наступая на влажную от росы траву, вдыхая свежесть утра, ароматы цветов, идете в сторону водопада, где бушует стихия!

И это не простой водопад! Возникнув из маленького родника в расщелине скалы, пробивая себе дорогу, он вобрал силу скалы и превратился в мощный поток. Каждая капелька, преодолевая трудности пути, очистилась и обрела волшебную мощь!

Приближаясь к своему водопаду, Вы подходите к подножию скалы и любуетесь игрой солнца в хрустальных брызгах воды, с наслаждением вдыхаете влажность и чистоту воздуха, «растворяетесь» в нем.

Представьте, в каждой капельке солнечный свет! В каждой капельке радуга! Этот водопад несет в своих ладошках радужное ожерелье чистоты, молодости, свежести, бодрости, красоты...

Вы мысленно сбрасываете с плеч одежду, а вместе с ней все прошлое: возраст, тяготы жизни, обиды, сомнения, напряжение — все, что накопилось за эти годы.

Солнышко и ветерок начинают ласкать Ваше тело. Мысленно, сделав глубокий вдох, уходите под водопад.

Представьте, на Вас обрушиваются каскад радости, каскад бодрости, счастья, свежести, юности. От прикосновения волшебных капель вибрирует все тело, а кожа становится гладкой, упругой, бархатной, как у младенца!

Почувствуйте, как вода струится по коже, смывая все поверхностное, наносное, ненастоящее.

С каждой секундой Вы чувствуете все большую и большую легкость, бодрость, чистоту. Вы наслаждаетесь тем, что происходит с Вами, и...

О, чудо! Вдруг вода начинает проходить насквозь, унося все, что чуждо здоровью, все, что чуждо спокойствию, все, что чуждо гармонии!

Вы видите, как густая черная слизь Ваших потерь, обид, разочарований, поражений, болезней стекает под ноги и исчезает в волшебной воде, растворяется навсегда!

Вы ощущаете, как с каждой секундой обретаете все большую легкость, свежесть, бодрость, величественную красоту и, вместе с тем, силу, уверенность, царственное спокойствие!

Вы выходите из-под водопада. Мысленно посмотрите на свое тело: ноги, руки, спину, живот, грудь, шею лицо — посмотрите на себя со стороны.

О, чудо! Какое совершенство! Какая красота! Но самое главное... прислушайтесь! Какая гармония в душе, свет в разуме, сила в духе.

Вы могущественны в созидании, в творении!.. Вы — Ангел Света! Вы — Ангел Добра! Вы — Ангел Любви! С возрождением!

Запомните это состояние, чтобы стать для людей источником света, добра, любви, вдохновения и силы. Потому что Вам еще предстоит вернуться на поле битвы, где добро и зло находятся в вечном бою за душу человека.

А теперь всматриваемся в небеса. Вы ясно видите птиц, парящих высоко-высоко. Создайте желание мысленно взлететь. Представьте, как Вы улетаете ввысь, чтобы впитать чистоту небес.

Расправляем плечи, готовимся к полету и даем небольшое волевое напряжение. Волнение, ожидание полета и повеление полета! Начинаем отрываться от земли. Легко-легко, свободно улетаем ввысь и вперед.

От встречного ветра вибрирует тело, от ощущения полета радуется душа, ликует воля! Вы стремитесь вперед, где бушует стихия! И мысленно притягиваете чистоту белых облаков, бездонность небес и впитываете каждой своей клеточкой! Одно Ваше желание, одно только стремление и — Вы летите ввысь, ввысь, ввысь...

Фантазируем! Создайте образ полета! Впереди белые, серые облака и черные грозовые тучи, но одновременно светит солнце. Молния еще далеко, но гроза приближается. Первые капельки...

Впитываем солнечный свет, впитываем чистоту, впитываем свежесть, впитываем образ красоты, образ юности, образ зоркости. Представьте, как Ваше тело с каждой минутой, с каждой секундой приобретает одну за другой именно те черты, о которых Вы мечтали.

Фантазируем полет! Приближаемся к белым облакам, несущим в себе сказку детства, сказку юности, несущим в себе первую любовь, чистую, возвышенную, несущим в себе звездные ночи и... проходим насквозь...

Вы впускаете в себя великий гимн юности, беззаботности, свободы! Ливень приближается, он уже виден! Далеко впереди радуга! Вот воображаемые поля, и Вы вбираете в себя запах влажной соломы, аромат знакомых и незнакомых цветов! И Вы в полете! Вы свободны!

Вы летите навстречу бушующей стихии туда, где встретились два ВЕЛИКИХ ВЛЮБЛЕННЫХ, НЕБО И ЗЕМЛЯ, В ЕДИНОМ ЭКСТАЗЕ ЛЮБВИ!!! И от этого экстаза в небе разбушевалась гроза. Ливень, молнии и гром!

Представьте образ! Вспомните звуки грозы, постарайтесь услышать их сейчас. Молния на какое-то мгновение распахивает окно в удивительный соседний мир, и Вы видите четкие картины.

Представьте, что находитесь в небе, посреди разбушевавшейся стихии и вбираете в себя силу молнии...

Ливень смывает с Вас все прошлое и наполняет весенней свежестью и чистотой. Раскинув в полете руки и ноги, Вы втягиваете в себя волшебную силу стихии: бушующий ураган любви, ураган созидания, ураган творения, долгожданную чистоту, долгожданную бодрость, свежесть, легкость, щедрость, доброту!..

Каждая волосинка, каждая клеточка, каждый сосудик накапливают эту мощь; волну за волной по нарастанию.

Запомните внутреннее ощущение Свободы! Запомните! В этом воображаемом полете впитайте все, что Вы считаете совершенным!

Браво!.. Умница!.. Молодец!.. Фантазируйте и запоминайте! Вы видите себя совершенным!.. Еще!.. Добавляем штрихи, как гениальный художник!

Продолжаем дальше фантазировать! Представьте, что Вы возвращаетесь к своему домику. Стихия остается далеко позади. Вы опускаетесь у крыльца. Создайте ощущения, создайте чувства! Мысленно входите в дом, подходите к зеркалу и смотритесь в него. Вы видите себя сильным, молодым, здоровым, зорким человеком. Полюбуйтесь собой!

А теперь танец. В этом воображаемом танце постарайтесь быть принцессой, королевой, повелителем, повелительницей, кем хотите!

Представьте себе: Вы видите огромный зал, блестящий паркет, колонны, а за колоннами море и звездная лунная ночь. Вы можете посчитать звезды, каждую из которых четко различаете на небосводе. Музыканты в белых одеяниях смотрят на Вас лукавыми и добрыми глазами. Они будут играть только для Вас.

Вы появляетесь в бальном наряде, и все присутствующие обращают свои восхищенные взоры на Вас. Музыканты как будто ждали этого момента и при Вашем появлении начинают играть величественный вальс.

Вы мысленно танцуете с любимым человеком, не отрывая друг от друга взора, полного нежности, любви и счастья, надежд, мечтаний и стремлений.

Включаем торжественный вальс и мысленно, стоя с закрытыми глазами, начинаем танцевать. Кружимся в воображаемом танце.

Даем волю своей фантазии! Видим себя изнутри и со стороны. Запоминаем! Запоминаем все: и водопад, и полет, и танец! А главное — запоминаем внутреннее состояние, состояние души!

А теперь танго! Настроились! На лице легкая улыбка. Плечи расправлены, как крылья. В глазах блеск, задор, озорство, молодость, счастье, любовь! Браво!!! Молодец!

А теперь поднимаем обе руки вверх, потягиваемся, открываем глаза. Можете сказать «мяу»! Сказали? Слава Богу, что хоть не разучились говорить на нормальном языке.

А теперь сравните, пожалуйста, свой сегодняшний облик с образом из Вашей фантазии. Есть разница? Да?

Вот эта разница и есть тот объем работы, который необходимо выполнить в ближайшие полтора-два месяца.

И запомните! Любовь, уважение к себе, любое внимание к себе не могут остаться без результата.

В КАЖДОМ ИЗ НАС СКРЫТА СИЛА

Многие из нас не знают своих внутренних возможностей, а в каждом они есть, надо только уметь разбудить их, заставить работать на себя.

То, что Вы достигли в жизни во всех отношениях, есть лишь малая частица заложенного в Вас потенциала. Говорю это как специалист с многолетним опытом работы. Подтверждение тому — экстремальные ситуации.

Вот несколько примеров.

Как Вы думаете, откуда взялись силы у семидесятилетней женщины, чтобы с сорокалетним сыном на спине пройти 13 километров через снежные сугробы и ни разу не опустить его на землю? А это факт!

Когда люди стали пробираться на снегоходе к месту аварии, чтобы спасти остальных, оставшихся под трактором, они увидели на протяжении всего пути следы только одной пары ног.

Как смогла женщина в Санкт-Петербурге на уровне седьмого этажа удерживать одной рукой своего двухлетнего ребенка, схватившись за кирпич карниза только

указательным и средним пальцами другой руки, пока не
подоспела помощь.

И когда ее снимали, то она не могла разжать пальцы.
Несколько часов ее успокаивали, чтобы она отпустила
руку своего ребенка. Вот какая сверхъестественная сила!

Но эти силы находятся в спящем состоянии, потому
что для обслуживания желудочно-кишечного тракта большого ума не надо. Вот почему задействованными оказы-
ваются лишь 3—4% мозга. А человек может очень многое: читать мысли, предвидеть будущее и т. п.

В Вас они тоже есть, дорогой читатель. Мы должны
найти доступ к этим силам. Но одним потребительским
желанием типа «жрать хочу!» эта дверь не откроется,
потому что ведет она в волшебный мир, где будут исполняться Ваши желания.

Это мир, где Вы являетесь повелителем. Двери в этот
мир открываются тремя ключами: силой воли, душой и
разумом. Надо слить все воедино. Вы готовы? Тогда
поехали!

ИСТОШНЫЙ ВОПЛЬ ИШАКА...
«Октава».
Что это такое?

Э то название специального упражнения, направлен-
ного на пробуждение той скрытой силы, которая
есть в каждом от природы, и которая будет Вас
вести к выздоровлению. В чем суть упражнения?..

За двадцать лет работы я много раз объяснял «Октаву», но ни разу не был удовлетворен тем, как это получалось. Почему? Потому что только безумный возьмется
объяснять, что такое счастье, что такое нежность, что
такое любовь!..

Скажите, пожалуйста, Вы могли бы передать словами
самые высокие и яркие душевные переживания? Попробуйте! Затрудняетесь? Вот и для меня это очень тяжело.

И все-таки я попробую, потому что ничего другого
мне не остается.

Что же такое «Октава»?

Это особое упражнение для тренировки Духа! Какие
чувства и ощущения нужно вызывать, сейчас постара-
юсь объяснить.

Представьте себе, Вы идете по дороге, а Вам навстречу бежит годовалый или двухлетний малыш-топотушка. Вот сейчас он подбежит к Вам, Вы его возьмете на руки, он обнимет Вас своими ручонками, прижмется, поцелует теплыми, пухлыми, влажными губками. Вы ощутите родниковое дыхание у лица, и все вокруг для Вас перестанет существовать!

Вы почувствуете себя по отношению к этой крошке сильным, могущественным покровителем, титаном, защитником. И вместе с этим душа наполнится чистотой, нежностью, блаженством, любовью! Наполнится или нет?! Да!!!

Или Вы видите, впереди Вас по дороге идет Ваш сын. Вы смотрите на него, и сердце переполняется гордостью: «Это мóй сын!»

Именно такие чувства и переживания служат основой, внутренней опорой лучших Ваших стремлений, на которой будет строиться Ваша цель.

И в то же время «Октава» — это движущая сила к осуществлению цели.

Октава — это искусство управлять своим телом, приказывать ему, заставлять, вынуждать его постепенно внешне и внутренне перевоплощаться в ТОТ облик, в который Вы желаете.

Это утверждение, это внутреннее ощущение, что БУДЕТ ИМЕННО ТАК, КАК ВЫ ЭТОГО ЗАХОТИТЕ!!

Октава — это сознательное формирование в душе уверенности, силы, могущества!

Древние говорили: «Что наверху, то и внизу». Несколько перефразировав эту мысль, можно сказать: «Что внутри, то и снаружи». Внутреннее созидание дает пользу!

Уважаемый мужчина, скажите, Вы думаете, что Вы мужчина, Вы верите, что Вы мужчина, Вы надеетесь, что Вы мужчина, или, того лучше, сомневаетесь, что Вы мужчина, или вы знаете, что вы мужчина?!! Какой ответ выбираете?

Аналогичный вопрос задам женщинам. Будете ли Вы раздумывать и сомневаться, что Вы женщина, а не мужчина? Нет!!!

Вот уловите, какое ощущение возникает внутри, когда Вы точно знаете, что это так и никак иначе! Как будто бы Вы добрый волшебник, уверенный в силе своего волшебства. Вы просто даете повеление и уходите! Ваше повеление такой силы, что все задуманное сразу исполняется!

Такое же утверждение нужно искусственно создавать внутри в отношении выздоровления.

Октава — это сочетание уверенности, решительности, силы, мощи, могущества твердости и нежности, любви, доброты, трепетности, чувства полета и радости.

Это снисходительное спокойствие и спокойное уверенное знание, что будет так, как Вы этого захотите!

Откуда же черпать эти ощущения? Из пережитого опыта!

Расскажу Вам одну историю.

Встретились три столетних старика. Сели и, гоняя чаек, стали обсуждать какой музыкальный инструмент лучше. Один говорит:

— Лучше флейты не бывает.

Второй:

— У тебя нет никакого вкуса. От флейты у меня понос... А вот скри-и-пка!..

Обращаются к третьему.

— Друзья мои! Твоя скрипка помогает тебе совершать мужские подвиги? А тебе твоя флейта помогает?

Оба на него набросились:

— Ты что, мозги что ли съел? Мы говорим о му-у-зыке, а не о прошедших временах. Я уже двадцать лет на женщин не смотрю, он — тридцать лет. А ты что?

— Я же говорю, у меня все в порядке. Твоя старушка умерла шестьдесят лет тому назад, а твоя пятнадцать лет назад. Моя жена — до сих пор красится... Я вчера купил ей духи «Тройной одеколон».

Они снова на него накинулись:

— Ну, давай, расскажи, что это за музыка. Приведу сегодня внука с магнитофоном, пусть запишет, может, у нас тоже что-то получится.

— О-о-о... ночью эта музыка слышна в нашем селении. Открываешь окна и слушаешь. Но в последнее время что-то редко ее слышно.

— Что за музыка?

— Когда я слышу эту божественную музыку...

— Ну, не томи! Что за музыка?!

— Это когда ночью осел орет... Когда среди ночи кричит ишак, я себя чувствую восемнадцатилетним юношей.

Поняли оба старика — их было трое старейших в селе, теперь осталось двое, потому что третий сошел с ума.

— Вы не смотрите на меня так. Помните, когда я первый раз пошел к своей старушке на свидание?

— Помним, мы на стреме стояли.

— Ночью я перелез через забор. И когда шел в темноте, наступил на хвост их ишака... Этот поганец заорал. А помните, какой злой был у нее отец?..

— Да-а!

— Я постучал в окно, взял ее на руки, и понес ее в сторону сада. Ах, какая была лунная звездная ночь! Под цветущей яблонею Господь наградил меня медом из ее уст. Я почувствовал от ее волос, как божественно пахнет в раю.

Но от крика этого поганого ишака все ослы в нашем селе проснулись и начали орать: «И-а-а-а, и-а-а-а, и-а-а-а!» Я был готов их растерзать, потому что тогда они испортили все наше свидание.

А сейчас, по ночам, мы открываем окна, прикладываем руки к ушам и сидим, ждем. Когда начинают кричать ишаки, у нас — первая брачная ночь...

Значит, «Октава» это — что?..

У каждого есть свой образ — свой ишачий крик. Это жизнеутверждающее стремление к свету, добру, любви, к тому, с чем Вы ассоциируете свою силу, свое величие, юность, здоровье.

Всякое действие, которое ведет нас к Созиданию, Творению. Когда Вы от всей души говорите: «Все! Хватит быть рабом болезни, рабом нужды!» — это тоже Октава!

Октаву можно найти во всем: и в радостном крике ребенка, и в песне, спетой от души, и в добром слове, сказанном с чувством, и в светлых переживаниях, и...

У каждого найдется что-то свое сокровенное.

Во время упражнения Вы сначала внутри искусственно вызываете гамму чувств, а потом постепенно добавляете интенсивность, затем еще, еще и еще, чтобы во всем теле и особенно в области нездорового органа звучал Гимн созидания, чтобы каждая клеточка тела получила резонанс!

Внутреннее стремление, утверждение должно быть властелином в теле, чтобы подавить, уничтожить, стереть в порошок все другие мысли и чувства, чуждые созиданию, чуждые творению!

Ваша «Октава» должна разнести в пух и прах всю неуверенность, сомнения и страхи. Уничтожить их НАВСЕГДА!

Постарайтесь почувствовать свою значимость, силу, мощь, красоту, утверждать это в себе и шаг за шагом продвигаться к цели.

Каждый день старайтесь это ощущение восполнять новыми оттенками, новой гаммой чувств. По мере тренировок Вы будете становиться более спокойным, сильным, уверенным в себе человеком, защитой, поддержкой и опорой для людей, которые Вас окружают. Вы станете для них оазисом в пустыне, будете нести свет, добро и любовь.

Когда Вы начнете работать с глазами, то ощущение, утверждение, команду, приказ, повеление глазам быть такими, какими Вы хотите, чтобы они были, направляете туда. Там создаете радость и получаете ответную реакцию.

Может возникнуть тепло, легкая пульсация или любой другой физический отклик. «Октава» — это внутреннее слияние с тем образом молодости, который Вы только что создали.

Но как всегда соблюдайте технику безопасности. Следите за тем, чтобы сердце работало спокойно, голова была ясная, дыхание ровное. Внутри — снисходительное спокойствие и абсолютное знание того, что будет так, как Вы этого хотите.

Вы должны знать, что любую свою проблему спокойно можете решить, что во всех отношениях Вы самый-самый... или самая-самая...

Никакого напряжения! Другими словами, Ваша задача — держать свой организм под спокойным контролем, и выздоровление будет происходить как бы само собой. Это должно быть спокойствие повелителя, спокойствие созидателя, спокойствие любящего, любимого, могущественного человека. Создайте это утверждение!

Плечи поправили, на лице гордая улыбка и поехали! Мысленный взор направляем в глаза и вызываем там ответную реакцию.

Вспомните Образ лимона или Образ пяти пальцев, как организм реагировал? Сейчас функцию этого пальца будут выполнять глаза. Внутреннее стремление должно быть очень сильным. Это внутреннее утверждение типа:

Я ЕСТЬ ВОЛЯ
Я ЕСТЬ СИЛА
Я ЕСТЬ ЛЮБОВЬ
Я ЕСТЬ ПРОЩЕНИЕ
Я ЕСТЬ МОГУЩЕСТВО
Я ЕСТЬ ЮНОСТЬ
Я ЕСТЬ МОЛОДОСТЬ
Я ЕСТЬ ЗДОРОВЬЕ
Я ЕСТЬ МУДРОСТЬ
Я ЕСТЬ ЖИЗНЕРАДОСТНОСТЬ
Я ЕСТЬ ВСЕ ПРЕКРАСНОЕ
ВСЕ ЗАВИСИТ ОТ МЕНЯ
ВСЕ В МОИХ РУКАХ

Это стремление должно господствовать и уничтожить всякое сомнение, которое само собой фигушки уйдет. Не ждите, чтобы оно покинуло Вас, сказав на прощанье:

— Ну что ж, до свиданья, ты меня выгоняешь, я ухожу.

Оно зубами, когтями будет держаться в Вашем сознании.

Вы просто скажите:

— Тьфу на тебя! — и усильте констатацию юности, здоровья, бодрости. О, кей?

Заставьте себя ощутить ЛИЧНОСТЬЮ, ЧЕЛОВЕКОМ с большой буквы. Создайте внутреннее чувство, что лучше Вас никого в мире нет. Надеваем на стальную руку мягкую бархатную перчатку и берем все управление под контроль! Получилось? Отлично!

Это упражнение применяется всегда во время коррекции зрения или работы с любым другим нездоровым органом, во время суставной гимнастики и упражнений для глаз, а также стирая белье, убирая квартиру, трясясь в общественном транспорте и т. д. А особенно после неприятного разговора с начальником или в другие подобные жизненные моменты.

Это упражнение нужно делать и на улице, среди людей. Они будут «давить» на Вас и, сами того не подозревая, пытаться превратить в себе подобных, т. е. в однородную массу.

Как Вы себя чувствуете сейчас на улице, когда встречаете хмурые лица? Замечаете ли Вы, что отличаетесь от них? Да?!

Чем?

У них у всех сплошные штампованные рожи, рыла и морды совковой лопаткой. Почему так? Потому что так принято. Все так ходят!

А Вы ЛИЧНОСТЬ!

Очень важное замечание! Когда Вы выполняете упражнения, а голова забита посторонними мыслями, все Ваши усилия будут пустой тратой времени!

При механическом исполнении весь труд пойдет коту под хвост. **Заниматься надо в состоянии Октавы! Только тогда Вы достигнете успеха!**

Скажем, у меня проблемы с коленной чашечкой.

Я мысленный взор направляю туда и представляю свой образ здоровья, такой силы, с которой я летал, танцевал в Образе молодости и посылаю его в коленную чашечку. А затем сознательно увеличиваю, наращиваю положительные ощущения и улавливаю там физический отклик.

«Октава» для Вас есть что-то старое и одновременное что-то новое. Искусство усилием духа созидать, искусство пе-ре-во-пло-щаться в того, кем Вы намерены быть!

Внешне это никак не проявляется, лишь на лице у Вас должна быть легкая улыбочка и спокойствие. Спина — ровная. Голова — ясная и светлая. Дыхание спокойное. Сердце бьется ровно.

«Октава» работает внутренне!

История одного из моих слушателей

Сегодня это известный в Средней Азии композитор. А всего несколько лет назад, когда у него зрение было минус 18 дпт., ему подписали приговор: «Рекомендуем Вам ежедневно упражняться — ходить по квартире с закрытыми глазами, запоминать расположение предметов. Когда ослепнете, Вам легче будет адаптироваться к своему состоянию». Другими словами, ему предложили постепенно готовиться, привыкать к будущей слепоте.

Тогда он, оказывается, решил покончить с собой. Страшно мужчине в полном расцвете сил оказаться на иждивении у своей жены! Но поднять на себя руку все-таки не хватило сил.

Все его душевные переживания запечатлелись в музыкальном произведении, которое стало Гимном выздоровления. Эту музыку он подарил Вам, людям, которые не желают идти на поводу у болезни и сдаваться, которые стремятся стать в жизни Победителем!

Услышать ее можно только у нас на занятиях. Мы называем этот Гимн, как и само упражнение, — «Октава».

Произведение состоит из двух частей. Первую часть он писал во время болезни на протяжении нескольких месяцев и там звучит отчаяние.

«А потом, — рассказывал он, — **я услышал по телевизору** о Вашей системе восстановления зрения. Приехал в Москву и начал заниматься. Отчаяние сразу резко перешло в успокоение. А потом время от времени во мне начало возникать мощное лавинообразное чувство, что я выздоровею. Аж мурашки пробегали по всему телу!

Вскоре я заметил, зрение начало проблесками улучшаться. Во мне появилась надежда — неужели я буду видеть?! Но время от времени где-то внутри проходил ответ: БУДУ ВИДЕТЬ!!!»

Во второй части звучит спокойствие, переходящее в бурную волну утверждения Я СИЛА! Я МОГУЩЕСТ-

ВО! Я ЗДОРОВЬЕ! Я БОДРОСТЬ! И заканчивается Гимн повелением, приказом: ДА БУДЕТ ТАК!

Он стал Победителем!

И Вы тоже станете!

В прошлом году этот человек получил премию и звание лучшего композитора года в Средней Азии. А в свое время его выгнали со второго курса консерватории, как не подающего надежды.

Так что нет такого больного, который не может выйти из своего недуга!

Нет такого человека, который не может быть богатым во всех отношениях!

Нет такого человека, который не может быть реализованным!

Нет такого человека, который не может быть победителем!

Нет такого человека, который не может быть счастливым!

На этом пути не Вы первый и не Вы последний. Искусство созидать, творить свою жизнь — все в Ваших руках! Всякая чуждая мысль должна исчезнуть! Понятно?

Дорогу осилит идущий!

Тогда навязываем себе Образ ЧЕЛОВЕКА-ПОБЕДИТЕЛЯ.

Значит, мы идем в бой с плохим зрением. Вы уже сейчас должны начинать с чувства, что Вы — Победитель! Вызывать его надо искусственно!

Тяжеловато? Ничего!

Что тренируется, то развивается!

Каждый день мы с Вами будем формировать веру в себя, в то, что Вы Победитель, что Вы сильный человек, способный управлять течением жизни.

Каждое утро заставляйте себя усилием воли почувствовать, что Вы есть:

> **спокойствие,**
> **душевность,**

**жизнерадостность,
нежность,
красота,
обаяние,
доброта,
сила,
любовь,
могущество!
Просто создайте это!**

Октава — это есть фундамент, на котором держится все Ваше Созидание.

Теперь после всех объяснений вопрос: разве «Октава» похожа на выражение: «я хочу быть здоро-о-овым», где Вы нищий проситель?!!

Во время Октавы Вы даете приказ, Вы созидаете самого себя, все зависит только от Вас! Обратите внимание именно на это!

Побеждает не техника, а дух!

Сейчас с помощью «Октавы» приступаем к тренировке Духа! Значит, «Октава» это не только признание себя ЧЕЛОВЕКОМ с большой буквы, СОЗИДАТЕЛЕМ, ТВОРЦОМ.

Это есть ПЕРЕВОПЛОЩЕНИЕ в доброго, сильного, нежного человека, человека, умеющего прощать, обладающего способностью принимать людей со всеми их достоинствами и недостатками. Это внутренний ПРИКАЗ здоровья, силы, красоты, доброты, света, любви, счастья...

Попробуйте усилием воли создать внутренний порыв, внутреннее стремление к выздоровлению и ощущение восторга за то, что Вы работаете над собой, что выздоравливаете! Понимаете?

Сомнений, неверия у всех у нас хоть отбавляй. Куда уйдет опыт десятилетнего нахождения в недуге? Сами по себе никуда не уйдут! Их нужно разбить в пух и прах уважением к себе, верой в свои силы!

Октава — это есть полная противоположность сомнению, неверию — это активное созидание!

Итак, приступаем!

Чуть с юмором. Убираем с лица очень у-у-умное выражение — признак старческого маразма. Попробуйте создать утверждение, что Вы самый, самый, самый прекрасный человек в мире. Просто создайте ощущение, что Вы есть сила, что Вы есть доброта, что Вы есть юность, но в детство не впадайте!

Грудь поправьте. Да не руками!!! Просто плечи опустите, спину выпрямите. Лопатками зажмите грецкий орех и держите его, чтоб не упал. Так всегда и ходите.

Проверьте мимику. Улыбаетесь? Отлично!

Правую руку поднимаем над головой, с небес достаем корону Повелителя, Созидателя и с размаху напяливаем ее до ушей, хорошо?

Сейчас будем, как волшебник, исполнять желания — стоит только дать повеление, приказ.

Этот приказ должен быть сродни просьбе отца, которую дети будут с радостью выполнять.

Это повеление — повеление матери, наполненное любовью и нежностью.

Это приказ — Волшебника, Созидателя, Творца типа ДА БУДЕТ ТАК!

Познайте в себе Победителя! Хорошо?!

Тогда поехали.

Поставьте такую музыку, которая будоражит и пробуждает в Вас желание жить, стремление созидать, творить. Например, включите известное произведение И. С. Баха для органа «Токката & фуга» ре минор (565) или что-то другое по своему усмотрению.

Пропустите эту музыку через себя!

На первых порах легче всего работать с закрытыми глазами, потому что Вы не будете отвлекаться. Закрываем глаза.

Внутренний взор направляем в область глаз.

Та-а-ак! Осанку уже потеряли!

Ну-ка, расправили плечи! Позвоночник прямой! Пожалуйста, выше голову! На лице мимика сильного, могущественного человека!

Поехали!

Попробуйте Творить!..

Мысленным взором проходим по всему телу: по рукам, по ногам, особенно по участкам, где есть нездоровые органы.

Обязательно охватите вниманием глаза, уши, горло, носоглотку, печень и почки. Это важно для зрения.

Искусственно создайте чувство, стремление, желание, ощущение быть таким, каким Вы хотите!

Постепенно усиливаем, наращиваем это внутреннее чувство, желание, стремление.

А теперь создайте внутри образ того, к чему стремитесь! И направьте по всему телу желание, свое стремление, свой приказ! Приказ красоты, здоровья, уверенности и создайте резонанс!

Добавьте новую гамму ощущений, добавьте утверждение, констатацию своей силы, могущества, уверенности! Еще! Еще! Усиление!

Создайте весну внутри себя! Весну созидания, весну творения, весну утверждения, весну пробуждения...

Еще! Молодец! Еще, еще, еще! Усиливаем ощущения по возрастающей, по восходящей!

А теперь опять пропустите по всему телу волну приказа! Повеление, утверждение, что БУДЕТ ТАК, как Вы этого хотите! Почувствуйте, как отзываются душа и тело.

Усиливаем стремление к красоте, созиданию, творению, могуществу, усиливаем! Еще, еще, еще!

Отправьте каждому участку нездорового органа свою нежность, свой завтрашний день, свое стремление, свое повеление и констатацию.

Еще с новой силой формируем внутреннее стремление к идеалу, чтобы затем обрушить на него лавину приказа.

Мысленно видим свое выздоровление, навязываем его себе, повелеваем... и-и-и ПРИКАЗ!

Новая волна стремления, желания быть красивым, любимым, счастливым и утверждение:
ДА БУДЕТ ТАК!

Еще направляем и распределяем в каждую клеточку, каждую волосинку на теле, каждую фибру своей души идеал... Желание видеть, чувствовать, жить... и-и-и ПРИКАЗ!

Мысленно смотрим на себя в будущем, видим себя без очков, а все вокруг четким, ясным, ярким, таким, как Вы желаете. Видим, стремимся и создаем физически ощутимую тягу к той цели.

Каждой волосинкой впитываем свою любовь, впитываем свой завтрашний день, силу своей души, свет своего разума и могущество своего духа. Чтобы резонировала каждая клеточка тела, резонировали все фибры души!

Создайте стремление, похожее на ураган весны, после которого только одно Ваше прикосновение будет вызывать распускание бутонов, распускание первых цветов весны во всем теле, везде, с чем бы Вы ни соприкасались.

Создайте ощущение, что Вы выше всего суетного, обыденного, что

Вы есть доброта

Вы есть любовь

Вы есть юность

Вы есть молодость

Вы есть здоровье

Вы есть понимание

Вы есть прощение

Вы есть ВСЕ,

что Вы считаете свойственно ЧЕЛОВЕКУ!

ДА БУДЕТ ТАК!

ПРИМЕРНАЯ АНАТОМИЯ
глаза питекантропа.
Георгиевидная практика

Как известно, глаз — это орган пищеварения. Извините, кажется, перепутал — орган зрения, воспринимающий световые раздражения. Глаз имеет близкую к шарообразной форму у нормальных людей, которых большинство, у особо нормальных — форму стеклянной пуговицы! Как физический прибор он представляет подобие фотоаппарата — темную камеру, где находится душа! В передней ее части находится отверстие (зрачок), пропускающее в нее световые лучи. А у стервообразных читателей свет иногда идет в обратную сторону, как луч лазера!

Глаз — орган многослойный, очень-очень многослойный. Посмотрите на рисунок.

Он состоит из глазного яблока и вспомогательных частей — век, слезного аппарата и мышц, двигающих глазное яблоко, и, конечно, из импортных очков, похожих на два унитаза. Приглядитесь хорошенько!

При помощи зрительного нерва глазное яблоко соединено с мозгом, но этот последний орган есть не у всех!

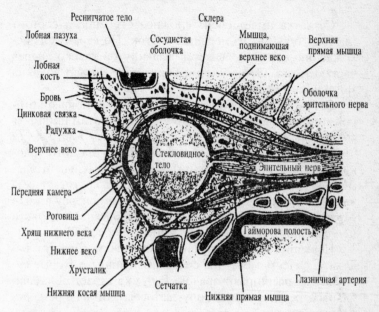

Стенки его состоят из трех оболочек. Внутри находится стекловидное тело — одна из светопреломляющих сред. Внешняя, белковая оболочка играет защитную и механическую роль, а также служит местом прикрепления глазодвигательных мышц. Передняя, более выпуклая часть белковой оболочки называется роговицей.

Почему называется роговицей?

Потому что у некоторых дам она обладает болезнетворным свойством наставлять рога на макушку мужу.

Она, будучи бессовестно прозрачной, является также светопреломляющей средой. Под белковой находится сосудистая оболочка, в которой расположены кровеносные сосуды, питающие все ткани глаза, в том числе и сетчатку.

Было бы очень хорошо, если бы у очкариков эта оболочка еще и подпитывала бы мозг, при наличии последнего!

Сетчатка имеет очень сложное строение и состоит главным образом из нервных клеток. По своему происхождению сетчатка является выдвинутой далеко вперед частью мозга. От ее клеток берут свое начало волокна зрительного нерва.

Сетчатка — именно та часть глаза, с помощью которой мы фактически видим, но иногда не хотим понимать то, что мы лицезрим.

Она плотно покрывает заднюю часть глазного яблока и функционально похожа на чувствительный элемент видеокамеры. После того как свет достигает сетчатки, она передает сигнал по зрительному нерву в мозг. Мозг обрабатывает полученную информацию и часто недоуменно повторяет: «Ну и ни хрена себе?!»

Передний отдел сосудистой оболочки образует радужку, радость моя! Она содержит мышцы, которые суживают и расширяют зрачок. Радужка играет роль диафрагмы, регулирующей силу светового потока и резкость изображения.

Совокупность мышц радужки представляет аккомодационный аппарат глаза. Аккомодация — это способность глаз переходить от состояния мутных шаров пьяной рыбы до состояния влюбленного марсианина, т. е. глаз на стебельках.

Мышцы радужки действуют рефлекторно независимо от нашей воли! И очень часто она, предательница, закладывает нас с потрохами!

Кроме того, она содержит пигментные клетки, определяющие, как мы говорим, цвет глаз. В ее центре находится зрачок.

Сзади к радужке прилегает прозрачный хрусталик, по форме напоминающий зерно чечевицы.

Хрусталик — главная часть светопреломляющего аппарата глаза. Благодаря своим эластичным свойствам он может становиться то более, то менее выпуклым в зави-

симости от того, рассматривается предмет с близкого или
с далекого расстояния. То есть вытаращиваться до раз-
меров полголовы и сужаться до размера откормленной
блохи! Это так называемая аккомодация глаза.

У пожилых людей способность к аккомодации уменьшается — развивается возрастная дальнозоркость. Они
очень хорошо видят все, что находится далеко-далеко,
даже за туманом, но то, что под носом, для них является
препятствием, непроходимой чащей!

Большая часть глазного яблока расположена в спе-
циальном углублении, которое называется глазницей или
орбитой. Не зря есть такое выражение «глаза вылезли
из орбит!»

Передняя его поверхность покрыта прозрачной сли-
зистой оболочкой — конъюнктивой. Она защищает глазное яблоко от инфекции, а также от случайной пыли
или грязи.

Глаза воспринимают не только свет и цвет. Они дают
нам представление о форме предметов, их пространст-
венном расположении. Это становится возможным благодаря мышцам глаза. Всего их вокруг глаза три пары.

Одна из них обеспечивает движение глаз вправо и
влево, вторая — вверх и вниз и третья — позволяет глазам вращаться вокруг оптической оси. А четвертая —
вдоль, поперек и по диагонали!

Мышцы имеют не только двигательные, но и чувст-
вующие нервы. При каждом движении глазных яблок
происходит раздражение специальных окончаний нерва. Возникшее в них возбуждение также передается по
нерву в мозг.

Итак, работая с глазами, тренируя мышцы, мы тем
самым через них влияем на работу мозга. Вот почему
так важно тренировать мышцы глаз.

МЕХАНИЗМ ВОССТАНОВЛЕНИЯ ЗРЕНИЯ!

*Запчасти, болтики, винтики, отвертки
и клизменный аппарат со смазочной жид-
костью к механизму прилагаются.*

*«Фу-у-у! Ну и зануда Норбеков!
Наконец-то мы дошли до
механизма восстановления зрения!
Около двухсот страниц пустых разговоров!»*

**Выжимки из мыслей читателя этих строк.
Корочка головного мозга, лобная часть,
извилина № 2 (последняя)!**

Что и как надо делать? Сегодня мы основательно рассмотрим, как «запустить» зрение.

Внимание! Механизм управления процессом выздоровления через волевое эмоциональное самопринуждение во всех органах одинаков, потому что работа совер-
шается через кровь. Принцип кровоснабжения ушной
раковины и большого пальца руки примерно один.

Сейчас будем работать над зрением. Но это имеет прямое отношение и к омоложению организма в целом, к нормализации отношений с внешним, окружающим миром и
даже к другим сферам жизни. Когда мы говорим о зрении,
то имеем в виду весь список Ваших недугов и проблем.

Существует несравненный алмаз громадной величи-
ны — это Вы! Другого такого алмаза в природе нет.

Подумать только, алмаз с двумя извилинами!

Одна из его граней — это налаживание отношений с
людьми, окружающим миром и самим собой, другая
грань — восстановление силы и молодости, третья грань...

четвертая... пятая... Пора эти грани начать обрабатывать, чтобы они засияли, засверкали.

Иначе говоря, на примере восстановления зрения мы рассматриваем общую схему, подход к тому, как стать Личностью, учимся искусству побеждать.

Познав это искусство на практике, Вы сможете достигать в жизни многих целей. И первостепенная задача — раскрыть и проявить в себе выдающуюся, великую силу, которая заложена в Вас природой. С ее помощью Вы разнесете болезни в пух и прах. Все начинается с Вас.

Восстановление здоровья — это не конечная цель, это только подготовка к новому этапу жизни, к реализации других задач, к осуществлению мечты.

Если формулу будете выполнять правильно, то возникший внутри резонанс вызовет резонанс в глазах, и независимо от того, верите Вы или нет, зрение начнет улучшаться.

Тогда ближе к делу.

Практическое применение формулы Вашего слуги.
Механизм запуска процесса восстановления зрения
описывает простая схема:
«мышечный корсет» — настроение — результат.

(Специально в разной форме буду повторять, чтобы появилась третья извилина. Должны же мы чем-то заполнять зияющую пустоту в черепной коробке!)

Итак, первое. Принимаете нужный «мышечный корсет». Вы уже знаете, что это такое.

Второе — настроение поднимаете до тех пор, пока зрение не начнет улучшаться.

Все!

Что-нибудь непонятное есть?

«Мышечный корсет» держите, смотрите на таблицу (Приложение 2), настроение поднимаете до тех пор, пока зрение не начнет улучшаться. На это уйдет буквально несколько минут.

А если зрение не начнет улучшаться..?
У Вас возникает такой вопрос?

Тогда еще приподнимите настроение.
У Вас есть сомнение в том, что зрение пойдет?
Если сомнения есть, добавьте эмоций, еще поднимите настроение, пока не заметите легкое улучшение зрения.
Если не верите, я чихать хотел на Ваше неверие.
Примите «мышечный корсет», поднимите настроение и все! Еще есть вопросы?
До трех слов довел. Дальше остается что?
Просто это применять на практике!

Что такое таблица для зрения и как с ней работать?

Тренировочная таблица для коррекции зрения является индикатором правильности Вашей работы с эмоциями, т. е. она нужна для контроля.

Сама по себе таблица Вам ничего не даст — это всего лишь кусок бумаги. Не ждите от нее чуда, создайте его сами!

Ваша задача 90% своих усилий направить на «мышечный корсет» и настроение. Все!

«Мышечный корсет» держите, и настроение поднимаете до тех пор, пока зрение не «схватите за шкирку».

Таблица покажет, работаете Вы или просто на нее смотрите, ожидая, что там что-то увидите.

Если Вы внутренне не трудитесь, нужный настрой не создаете, то хоть сто лет ждите улучшения — не дождетесь! Значит, другими словами, эта бумага — индикатор Вашего характера. Если характер вшивый, то...

Но когда Вы себя признаете ЧЕЛОВЕКОМ с большой буквы, сильной, уверенной в себе ЛИЧНОСТЬЮ — зрение начнет Вам подчиняться, и результат будет нарастать как снежная лавина.

Значит, когда Вы берете в руки таблицу, прежде всего, проверяете осанку и мимику. А на нее смотрите как бы мимоходом. Через глаза не пытайтесь ее увидеть.

Как только эмоциональный настрой повысите до необходимого уровня, так сразу заметите всплеск улучшения зрения. Чтобы было понятно, как нужно смотреть, приведу пример для мужчин.

Представьте, Вы идете по улице с женой, а навстречу несколько красивых девушек. Как Вы поглядываете на их ножки, когда жена рядом?

Правильно! Незаметно, исподтишка! Вот точно так же надо «поглядывать» на таблицу.

Как держать таблицу и как работать в каждом конкретном случае?

1. При дальнозоркости (если Вы носите очки для близи) держите ее перед глазами на расстоянии 15—20 см.

2. Если у Вас близорукость (т. е. Вы носите очки для дали) — на расстоянии вытянутой руки. При слабой близорукости, когда на таком расстоянии последнюю строч-

ку в таблице Вы видите хорошо, закрепите таблицу на стене и найдите свою рабочую строчку. А как это сделать, читайте ниже.

3. Кто плохо видит и вблизи, и вдали, т. е. у кого астигматизм, Вы можете работать так же, как при близорукости, или как при дальнозоркости, разницы никакой нет, потому что от этого Ваш результат не зависит.

4. Один глаз видит нормально, другой — плохо. Сделайте повязку на здоровый глаз или закройте его ладонью. Таблицу возьмите на свое расстояние в зависимости от диоптрий.

5. Оба глаза видят плохо, но один еще хуже. Работайте двумя глазами. Один из них быстрее восстановится, тогда поступайте, как в предыдущем случае.

6. Один глаз дальнозоркий, а другой близорукий. Так как в течение дня мы будем два раза работать с таблицей, то один раз — одним глазом (на другом повязка), другой раз — другим глазом аналогично.

7. При глаукоме, катаракте, атрофии зрительного нерва, дистрофии и дегенерации сетчатки работаем по общей схеме, но особое внимание обращаем на расслабляющие упражнения для глаз. Сразу предупреждаю, Вы будете продвигаться чуть медленнее остальных. Ничего страшного! Все зависит от Вашего настроя и стремления.

Итак, Вы поняли, как держать таблицу? Теперь

Как найти свою рабочую строчку?

Вы начинаете просматривать таблицу с самой верхней строки, и, постепенно опуская взгляд, находите ту, выше которой видите хорошо, ниже которой все расплывается, т. е. пограничную. Это и есть Ваша рабочая строчка.

Как только она Вам будет видна четко, Вы перемещаете границу ниже.

Внимание!

Границу перемещать не спешите, даже если Ваши глаза будут «требовать» этого. Закрепите результат!

Во время работы с таблицей часто возникает азарт, который в данном случае неуместен. Сдерживайте его, если не хотите, чтобы процесс восстановления зрения затормозился!!!

Это техника безопасности. Тише едешь, дальше будешь.

Если, работая над близорукостью, на расстоянии вытянутой руки Вы уже четко увидите последнюю строчку, то прикрепите таблицу к стене и затем заново выберите рабочую строчку описанным выше способом.

Вы знаете, что глаза — это часть мозга. Они косвенно связаны со всеми органами. Около 80% информации человек воспринимает через глаза, и только примерно 20% — через другие органы чувств.

Наши глаза отражают и здоровье, и состояние души, и настроение.

По глазам можно узнать, плохой человек или хороший, больной или здоровый. Не напрасно говорят: «Глаза — это зеркало души».

Они очень быстро «откликаются» на внимание с Вашей стороны, поэтому, когда начнете работать с ними, Вы быстро сможете получить улучшение.

В других органах это сразу не заметно, и потому часто, по старой привычке, мы, заблуждаясь, продолжаем сетовать, обливая себя грязью: «У меня не получается, я не такой, как другие, у меня все не как у людей» и т. д. и т. п.

А когда Вы сходу получаете дивиденд от своего труда, Вы уже не имеете права сомневаться в своих силах!

Итак, применяем формулу.

Усилием воли принимаем «мышечный корсет», т. е. осанку и мимику здорового, счастливого, гарцующего по жизни человека: молодого жеребца, если Вы мужчина, и веселой кобылки, если Вы женщина.

Опля!..

Рост становится два метра, грудь колесом, живот подбираем к позвоночнику!

Если сидите, то сядьте вертикально, как на горшочек. Отодвиньтесь от спинки стула. Таз остается на сидении, а макушкой тянитесь вверх, вверх, вверх...

Что замечаете? Пузо становится меньше и в том месте, где предполагается талия, что-то начинает подтягиваться и сужаться. На лице дурацкая улыбка! Отлично!

Затем начинаете подстраивать внутреннее состояние под внешнюю маску. Искусственно, сознательно вызываем внутреннюю радость. На вопрос: чему радуемся (?), отвечаем: тому, что сейчас увидим без очков!

Что получается?

Зрение тут же начинает откликаться. Буквы и знаки «принимаются играть» с Вами в прятки. Они становятся то более яркими, то опять расплывчатыми. Вспышка четкости, яркости изображения то будет появляться, то исчезать. То есть на тренировочной таблице Вы начнете видеть вспышкообразное улучшение четкости. Вскоре эти редкие, разовые «всплески» сольются в единую волну.

Результат будет накапливаться аналогично тому, как по одной бусинке собирается целая нитка бус.

Когда свой внутренний резонанс Вы поднимете до нужной кондиции, тогда зрение начнет подчиняться Вашей воле, потому что тот резонанс приобретает действие камертона.

Воля приводит эмоции в движение, а эмоции заставляют Вас принять резонанс выздоровления и созидания или резонанс равнодушия и разрушения. В зависимости от того, что вложите, то и получите!

Внутренний маховик запустит движение, которое с каждым разом будет набирать силу и отражаться на качестве зрения. В нашей терминологии это означает «зрение пошло».

Итак, зрение пошло!
Все!
С этого момента настроение больше поднимать не нужно, потому что Вы уже необходимую «волну» поймали.

С этого момента Ваша задача просто удерживать настрой в течение примерно десяти минут и запоминать это состояние. Записать его на внутренний магнитофон сознания и в дальнейшем вызывать его сознательно. Ваше зрение будет все улучшаться и улучшаться.

Итак, мы действуем через эмоции.

Эмоция — это один из сильнейших инструментов!

Необходимый теоретический минимум теперь у Вас есть, остается только применить его на практике.

Теперь о том, как восстанавливается зрение?

После того, как механизм запустили, т. е. когда Вы начали видеть в таблице вспышки четкости, восстановление зрения будет идти волнообразно.

Внимание!

Механизм восстановления зрения такой: в течение часа-двух идет улучшение, улучшение, улучшение, потом полчаса-час — ухудшение, затем снова улучшение и т. д.

Такие колебания у всех бывают разные. У кого-то эти периоды могут измеряться секундами: 5—6 секунд прояснение, а потом 2—3 секунды спад, который затем

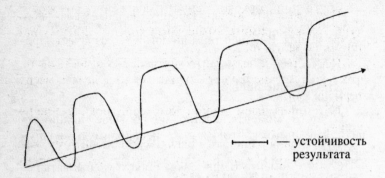

опять переходит в подъем. У кого-то подъем может продолжаться десять минут, а потом две-три минуты спад. У кого-то колебание качества зрения будет выражаться в часах, у кого-то в днях... но общая тенденция такова: **всегда период улучшения зрения более продолжительный, чем период ухудшения!**

Всегда держите хвост пистолетом! В целом, несмотря на такие колебания, зрение постоянно становится лучше.

Кривая улучшения зрения всегда идет вверх. Главное — продолжать работу. С каждым днем процесс восстановления зрения будет набирать силу.

Не забывайте: существует закон инерции. Если Вы маховик запустили, то нужно постоянно поддерживать его движение, иначе инерция падает и маховик останавливается.

Внимание! Опасность!

Одна дама рассказывала: «У меня было +7 дпт. Пять диоптрий убрала, а две никак не могу. Почему?»

Потому что она начала «за здравие», а закончила «за упокой». Она стала успокаиваться, делать упражнения машинально, ради галочки — эмоций уже стало недостаточно.

Автоматизм — это враг любого доброго начинания! Всякое успокоение долой! Сначала доведите дело до конца. Договорились? Отлично!

Итак, возьмите в руки таблицу, найдите свою рабочую строчку, примите «мышечный корсет»! Улыбку натянуть не забудьте!

Искусственно вызывайте внутреннюю радость за то, что сейчас зрение начнет улучшаться. Все делаем вверх тормашками!

Потом повышаем эмоции до тех пор, пока зрение не пойдет.

Прояснения начинают появляться подобно тому, как Вы объективом наводите резкость или ручкой радиоприемника ищите нужную частоту.

Легкую вспышку улучшения заметили? Очень хорошо! Тут же зафиксируйте для себя это состояние: «Есть! Удалось поймать нужную волну!» Явный проблеск улучшения у Вас обязательно появится примерно за 30 секунд работы с таблицей.

Зрение пошло! Поздравляю! Ваша задача теперь прислушаться к себе, уловить ощущения и запомнить, *что* Вы сделали, *как* изменили внутреннее состояние для того, чтобы зрение стало Вам подчиняться.

В следующий раз при очередном подходе Вы это внутреннее состояние будете вызывать сознательно и стараться удерживать настрой как можно дольше.

Поскольку Вы обучаетесь самостоятельно, нужно, чтобы кто-то или что-то выполнял функцию секундомера. Сделайте запись счета от одного до тридцати на магнитофонную пленку (см. ниже, в главе «Три подхода по 30 секунд за один прием»).

Ваша задача — во время счета поднимать настроение. Когда первые проблески улучшения возникнут, обратите внимание на внутреннее состояние и запомните, на какой отметке счета они появились.

Например, сначала зрение пойдет на счете 20.

В следующий раз попытайтесь запустить на счете 15, потом с 10.

Дальше. После 30 секунд внутренний настрой Вы продолжаете держать. А зрение будет все улучшаться и улучшаться. В следующий раз нужно уже получить легкое дополнительное улучшение, например на счете 5.

Процесс идет волнообразно: вспышки четкости то появляются, то пропадают, но с каждым днем, с каждой тренировкой они будут появляться раньше и держаться дольше.

Постепенно отдельные знаки и фрагменты сольются в целую рабочую строку.

Итак, с помощью «мышечного корсета» и эмоций Вы создадите свой уникальный инструмент для коррекции зрения!

Для восстановления зрения достаточно заниматься 2 раза в день по 10 минут.

Как вызвать улучшение зрения — запомнили? Как его удержать — запомнили? Что нужно всякий раз фиксировать состояние: «Есть! Удалось поймать нужную волну!» — запомнили? Молодец! Отлично!

А теперь опять техника безопасности.

Бывают интересные ситуации. В Набережных Челнах один мужчина был очень старательный. На протяжении пяти занятий он постоянно поднимал руку. Улучшение шло полным ходом, а потом остановилось. Спрашиваю:

— Почему стоите? Что случилось?

— А я, — говорит, — не вижу последнюю строчку.

— Вы с какой строчки начали?

— Со второй сверху.

Он, оказывается, на расстоянии вытянутой руки еле различал вторую сверху строку таблицы, и всего за 5 занятий дошел до самой нижней. Это категорически запрещается!

Он нарушил технику безопасности, и процесс восстановления зрения остановился. Вот так! Будьте внимательны! Не напрягайте глаза. Разгоняться нужно постепенно.

Хотите перед стартом узнать один секрет?

Принцип восстановления зрения и устранения любого другого заболевания один и тот же. Вы используете основной инструмент — Ваш *созидательный дух.*

Создавая нужные эмоции, Вы через кровь заставляете свой организм выздоравливать, т. е. начинаете управлять этим процессом.

ЭТАПЫ ВОССТАНОВЛЕНИЯ ЗРЕНИЯ

Всю работу мы разделяем на этапы. Первый — маленький, два-три дня, который называем «запуск зрения».

Потом сразу же начинается второй — восстановление зрения. Этот этап у каждого сугубо индивидуален. У кого 2 дпт. и меньше — 8 дней. Мы уже об этом говорили.

За 8 дней Вы восстанавливаете зрение и на девятый — переходите к третьему этапу — адаптации к нормальному зрению. Очень важно именно в этот момент не прекращать работу.

Некоторые делают ошибку, считая, что очки сняли и все, чего еще желать. Но нам надо, чтобы возник условный рефлекс к нормальному зрению, чтобы оно стало привычным для организма и зафиксировалось мозгом. Условный рефлекс возникает в период от 20 до 40 суток.

Вот представьте ситуацию. Вы начали работать. Появились первые результаты. Образно говоря, приходит инвентаризационная комиссия с амбарной книгой и говорит:

— У нас записано: глаза — две штуки, катаракта. Предъявите.

Проверили — все на месте. Отлично! Пошли дальше.

Вы стали работать, и катаракта начала рассасываться. При следующей проверке:

— Та-а-к! У нас записано: глаза — две штуки, катаракта.

Сверяют.

— Глаза здоровые. А где же катаракта? А ну-ка вернуть ее на место! Она у нас числится под номером 761200-08.

Организм начинает сопротивляться и отстаивать свой результат. На физическом плане это проявляется в виде временного обострения (ухудшения состояния). Самое главное — не останавливаться. Если Вы продолжаете заниматься, в следующий раз результат принимается мозгом на баланс:

— Глаза — две штуки, здоровые.

Это происходит примерно на сороковые сутки.

Теперь уже если какая-то проблема с глазами возникает, мозг тут же ее уберет, потому что в «инвентаризационной ведомости» зафиксирована норма. Вот так возникает условный рефлекс к хорошему зрению.

Нормально видящие глаза уже находятся, образно говоря, в балансе Вашего мозга с инвентарным номером.

По этой системе мне приходилось работать в обществе слепых. Больные с атрофией зрительного нерва выходили из недуга победителями. Вы со своим диагнозом по сравнению с ними симулянт несчастный! Понятно? Вот так!

Очки-пустышки

Дорогой читатель, как Вы себя чувствуете без очков? Как без штанов на улице? Возможно, Вы совсем не можете обходиться без них? Не расстраивайтесь, Вы не одиноки.

Однажды на занятиях я задал этот вопрос. Несколько человек подняли руку, а одна дама сказала: «Я даже во сне вижу себя в очках».

Как же быть?

Есть хороший выход. Сегодня-завтра присмотрите декоративные очки без диоптрий, например солнцезащитные, но только со светло-зелеными стеклами. Или поменяйте стекла в своих очках на простые.

Вы видели, как трудно дети порой отучаются от пустышки? Когда на носу Вам чего-то будет не хватать, это вызовет дискомфорт.

Значит, Вы напяливаете на нос «пустышку», чтобы чувствовать себя нормально. Есть наркоман, есть алкаш, а есть «очкоман» (са-а-м придумал!).

Уже сегодня Вы надеваете очки с меньшими диоптриями, т. е. более слабые.

Через день, два, три те очки Вам будут уже как раз. Когда они Вам станут впору, Вам надо будет надеть еще более слабые.

Три-четыре дня, и наступит момент, когда и в этих очках Вы будете видеть нормально. Тогда наденете на нос «пустышку», чтобы легче было преодолеть физическое неудобство. Понятно?

Внимание!

На снижение 1 дпт. дается от четырех до шести дней. Быстрее снижать диоптрии запрещается, потому что стремительная и напряженная работа может привести к торможению процесса восстановления зрения.

Природа не любит торопливости. Смешно вытягивать молодые всходы с той целью, чтобы они быстрее выросли. Если Вы 20—30 лет носили очки, то несколько дополнительных дней Вам погоды не сделают. Так что наберитесь терпения, работайте не спеша, обращая внимание на суть.

Если у Вас –12 или +12, или астигматизм, катаракта и т. д. — абсолютно не имеет значения!

Вы все будете работать по одной схеме и по одному параметру сдавать зачет по нормализации зрения.

Средний показатель для отличников таков: 1 дпт. за два дня. Для «сачков» — 1 дпт. за 6 дней, значит в среднем 1 дпт. за 4 дня, т. е. восстанавливать зрение по 0,25 дпт. в день.

У Вас появились сомнения типа: «А вдруг я не успею? Вдруг я буду отставать?»

Меня они не волнуют, дорогой читатель! Мне глубоко начихать на них! Вы будете сдавать нормативы как миленькие. У студента есть три задачи: учиться, сдавать зачет, экзамен.

Отставание наказуемо. Итак, если у Вас 2 дпт., в Вашем распоряжении всего 8 дней. То есть полный курс восстановления нормального зрения 8 дней.

И после этого переходите к следующему обязательному этапу адаптации, если конечно хотите сохранить наработанный результат.

ТРИ ПОДХОДА
по 30 секунд за один прием.
Коррекция зрения.

Наконец-то пра-а-ктика! Дождались!

Уважаемый читатель! Сколько Вам в душе лет?

Если больше шестнадцати, значит, Вы усопший.

Давайте договоримся, что нам с Вами в душе 16 лет. Плечи поправьте.

Вот сейчас попрыгайте на месте на одной ножке. Выкиньте из головы всякую глупость типа «я бабушка», или «я начальник», или «я ученый»...

Теперь создайте такое беззаботное, беспечное, безмятежное настроение. Уберите с лица о-очень умное выражение, как будто Вы сидите на унитазе и у Вас запор!

Улыбочка, осаночка Победителя! Очки в сторону!

Примите выражение лица пятилетнего ребенка, который впервые оказался на новогодней елке. Похлопайте ресничками.

Внутренним взором пройдите по всему телу. Какая у Вас осанка, мимика?!

Создайте внутри трепетное ожидание того, что сейчас будете видеть чуточку лучше, и радость от этого пропустите волной через себя.

Еще! Еще чуть-чуть добавьте эмоций! Молодец!

Теперь берем в руки таблицу на свое расстояние и влюбленными глазами смотрим на рабочую строчку.

Искусственно создаем и постепенно повышаем настроение. В душе удовольствие от предвкушения результата.

Вам когда-нибудь приходилось объективом наводить резкость? Вспомните ощущение, когда расплывчатое изображение начинает проясняться и постепенно становится четким! Кайф!

Вот с таким трепетным ожиданием яркости и четкости изображения в течение 30 секунд двумя глазами легко и плавно «скользим» по своей рабочей строчке вправо и влево, вправо и влево, ни на чем не задерживая взгляд, не останавливаясь, не всматриваясь в отдельные элементы. И каждые 2—3 секунды еще поднимаем настроение.

Глазами делаем легкие движения, а главное чтó?

Вызываем ра-а-дость!

Самое главное — Вы создаете состояние радости и волной пропускаете ее через глаза, вызываете благодарность в свой адрес, уверенность в успехе!

То есть Вы не за строчкой следите! На строчку смотрите, а следите за внутренним состоянием, даете глазам своеобразный аванс, и они начинают подстраиваться.

Если будете пассивно стоять и ждать, когда зрение начнет улучшаться, получите огромный кукиш! Кроме разочарований ничего не будет! Потребительского подхода быть не должно!!!

Чтобы мысленно не считать и не отвлекаться, включите магнитофонную запись счета до 30 девять раз: будем делать три подхода 3 раза по 30 секунд каждый.

Если Вы эмоции подняли на достаточный уровень, то проблески улучшения зрения не заставят себя долго ждать. Как только первые мимолетные «вспышки» яркости и четкости изображения начнут проявляться, с этого момента настроение старайтесь удерживать на том же уровне и следующие 30 секунд продолжайте работать на том же подъеме.

Получилось? Отлично! Создайте внутри волну благодарности и уважения к себе, прилив радости и гордости за то, что Вы работаете над собой! Только очень прошу, не забывайте моргать, чтобы глаза на лоб не выскочили!

Если пока работа идет без изменений, тогда добавляем новую гамму ощущений и так до первых проблесков улучшения! Следите за внутренним настроем, не забудьте — Вы пятилетний ребенок, который открыто и с любопытством смотрит на мир удивленными глазами. Войдите в роль, станьте ребенком.

Или просто вспомните в красках самые прекрасные и яркие эпизоды из жизни: первую любовь, первое кормление, купание ребенка, нежность его прикосновения, красивый закат или восход и т. д. Погрузитесь в приятные воспоминания, чтобы на сердце стало легко и светло!..

Итак, первые тридцать секунд поработали. Легко поморгайте глазками.

Следующие 30 секунд работаем аналогично. Не забывайте моргать!

И последний раз в этом подходе работаем 30 секунд.

После этого расслабляем глаза с помощью специальных упражнений (они приведены ниже).

Проверьте осанку и мимику.

Проверьте «мышечный корсет». Потеряли?!

ТРА-ТА-ТА!

Вы начали уже успокаиваться, понимаете?! Вы сами себе начали рыть яму. Этого нельзя допускать!

Раньше времени успокаиваться нельзя, но и брать быстрый темп тоже нельзя!!!

Помните пример с моим слушателем из Набережных Челнов? Найдите золотую середину.

**Главное: качество работы
при соблюдении техники безопасности.**

Поехали заново! Повернитесь так, чтобы свет на таблицу падал под другим углом.

Грудь! Улыбка! Настрой! Выполняем второй подход «3 раза по 30 секунд». Отмечайте для себя дополнительное улучшение. Каждый раз делайте маленький шажок вперед.

(Включите запись счета.) Продолжаем работать.

Откладываем таблицу в сторону и делаем расслабляющие упражнения.

Глаза открываем спокойно и медленно, стараясь не расплескать покой. Берем в руки таблицу и...

Вы получили сюрприз? Молодчина!!!

Не теряя настроя, с новыми силами, приступаем к третьему, заключительному подходу «3 раза по 30 секунд».

Третий подход выполняется поочередно каждым глазом, причем для каждого глаза выбирается своя рабочая строчка, как это было описано выше.

Первые тридцать секунд одним глазом, вторые тридцать секунд — другим.

Далее обязательно делаем расслабляющие упражнения и только после этого завершающий третий раз работаем двумя глазами.

И опять даем глазам отдых.

УПРАЖНЕНИЯ НА РАССЛАБЛЕНИЕ

1. Медленно и спокойно откройте глаза! Поморгайте легко-легко, без напряжения, как мотылек крылышками.

2. А теперь упражнение с научным названием «*Начихатто-Наплеватто*».

Сначала поставьте приятную, расслабляющую музыку.

Разогрейте ладони, чтобы усилить приток энергии к ним. Для этого опустите руки до уровня солнечного сплетения, так энергия течет лучше. Продолжая растирать, подносим руки к глазам.

Кладем кисти одну на другую, пальцы плотно соединены, скрещены на лбу, а основания мизинцев, соединенные в одной точке, размещаются строго на переносице, в том месте, где обычно находится дужка очков. Сделайте ладони чашечкой.

Поправьте их так, чтобы свет не проникал внутрь, и в то же время ресницы не касались ладоней. Только после этого закройте глаза веками.

Энергия из центра ладошек пойдет прямо в глазные яблоки. Для того чтобы энергия поступала беспрепятственно, голова должна находиться в одной плоскости с позвоночником.

«Отпустите» глазные яблоки назад, расслабьте веки, лицо. Челюсти разжаты, язык не прижат, плечи опущены, руки без напряжения. Локти разведите в стороны. Мышцы всего туловища расслаблены.

Создайте, пожалуйста, состояние отрешенности, спокойствия, бездумности, пустоты. Вам на все начихатто-наплеватто!

Рассматриваем темноту или любую картинку, которая возникает в сознании.

Можно мысленно рассматривать движущиеся объекты, причем на таком расстоянии, на котором физически Вы видите плохо, а на воображаемом уровне — очень четко даже на таком удалении. Или попеременно представляем какой-либо предмет то на близком, то на далеком расстоянии.

Очень полезно во время расслабления мысленно просматривать свою рабочую строчку в таблице для коррекции зрения и представлять, что Вы ее видите ясно и четко!

Внимание переведите в пупок. Создайте внутри ощущение полного покоя и расслабленности. Мысли Ваши о любви к себе, к своим глазам, о любви к самой жизни.

После этого переведите внимание в область печени (правое подреберье) и направьте туда всю нежность, какую только можете ощутить. Почувствуйте физический «отклик» в теле, как в Образе пяти пальцев.

Затем аналогично направьте внимание в область почек (на спине чуть выше поясницы) и так же мысленно пошлите им любовь, нежность и от всей души пожелайте им здоровья. Уловите «ответ» в теле и создайте к себе благодарность.

Опустите руки, но глаза не открывайте. Настройтесь на полный отдых. Представьте, что дуновение ветерка коснулось Вас, и Вы легко-легко покачиваетесь из стороны в сторону и расслабляетесь.

Отпустите мышцы икр, бедер, ягодиц, поясницы, шеи, лица. Все, кроме мышц мочевого пузыря!

Представьте — утро! Солнце поднимается из-за горизонта. Вы на холме, внизу речка. За ночь прошел теплый летний ливень, листики на деревьях блестят. Ветерок со стороны реки гладит их, а солнечный свет проникает насквозь так, что листочки даже сами излучают свет. В душе и теле безмятежность.

А теперь спокойно откройте глаза. Кстати, никогда резко не распахивайте глаза!!! Нельзя также прищуриваться или таращить глаза. Все это создает напряжение, которое недопустимо!

Если Вы, сохраняя внутренний покой, возьмете в руки таблицу, Вас ожидает сюрприз!

Вы заметили еще дополнительный скачок улучшения? Браво! Я горжусь Вами!

Значит, Вы все сделали правильно. Во время расслабления и отдыха зрение продолжает улучшаться!

Как настроение? Улыбку не потеряли?!

Поднимаем эмоции еще на одну ступеньку, на душе хорошо-хорошо, легко-легко, и Вы ощущаете тепло в глазах.

Сохраните это чувство в течение всего дня, а если вдруг потеряете его, то срочно сделайте упражнение еще раз.

3. Направление энергии к глазам.

Сначала растираем ладони, как это описано в упражнении «Начихатто-наплеватто».

Корпус прямой, голова на одной линии с позвоночником. Глаза закрыты. Указательный и средний пальцы обеих рук направлены перпендикулярно к глазам.

Расстояние от кончиков пальцев до глаз буквально 1—2 мм, но пальцами век не касаемся. Чувствуем, как энергия струится в глаза и заполняет их изнутри.

Теперь аналогично средние фаланги больших пальцев (для этого пальцы нужно согнуть) подносим к закрытым векам и точно так же наполняем глаза энергией. Локти при этом приподняты и разведены в стороны. Голову не наклоняем.

ВЗБУЧКА.
Читает тот,
у кого зрение не идет

А теперь я хочу вылить немножко грязи на вашу «умную» голову, которая держит Вас в болезнях и проблемах.

Если во время тренировки у Вас в голове возникают сомнения и мысли типа: «Поможет — не поможет?! Поможет — не поможет?!» — все! Вы обречены на провал в прорубь, где как болтались, так и будете болтаться! Я там в свое время шесть лет бултыхался.

Итак, любые упражнения, которые Вы выполняете, — это оболочка, фантик, а суть совсем в другом.

Представьте себе, Вы приходите в магазин и вместо конфет берете только фантики. Есть польза от них? Шоколад остался в магазине, а Вы фантик взяли и пошли. Зато красиво блестит!

Упражнение это только форма, пустой сосуд.

Вы ищите упражнения, способы, методы, средства, т. е. сосуд, оболочку, фантик, забывая позаботиться о главном — о содержании, о внутреннем состоянии.

А если содержимое — серная кислота? Меняется ли суть кислоты в зависимости от того, куда Вы ее нальёте — в хрустальный фужер или в консервную банку из мусорного ящика?

Поменяется ли? Нет!

А тело тоже является сосудом. Скажите, пожалуйста, тело корректируется чем? Физическими упражнениями.

Вы упражнения делаете, т. е. сосуд приводите в порядок, а внутреннее содержимое, та самая кислота, остается и продолжает его разъедать.

Значит, суть Вашего характера от упражнений, таблеток, процедур не изменится. Он однажды уже разрушил здоровье, в другой раз все равно сделает то же самое. Вот так!

Поэтому если Вы собираетесь обрести здоровое тело, нужно характер менять в лучшую сторону, в сторону созидания.

Свое безалаберное отношение к здоровью Вы, конечно, оправдываете тем, что отдали себя семье, науке, работе и т. д. Получится длинный список, не так ли?

А попробуйте-ка матушке-природе привести эти свои аргументы и доводы. Ей все равно, кому или чему Вы отдались!

Законы единые и обязательные для исполнения. Не хочешь соблюдать — болей и самоуничтожайся, освобождая место для здоровых людей.

Выбор всегда есть. Значит, если не будем менять подход в отношении себя, грош нам с Вами цена.

Зрение начнет восстанавливаться семимильными шагами только с того момента, когда Вы признаете себя ЧЕЛОВЕКОМ с большой буквы, сильной ЛИЧНОСТЬЮ. Результат будет липнуть к Вам, как банный лист.

Всякое «тра-та-та» в свой адрес, любая форма самобичевания и сомнение в своих силах воспринимается, как оскорбление ЛИЧНОСТИ.

Вы смотрите на таблицу потребительски, как в окошко кассы! Прежде чем подойти и протянуть руку, Вы должны потрудиться!

Тогда еще раз! Когда Вы смотрите на таблицу, прежде всего, принимаете «мышечный корсет», гордое торжествующее выражение повелителя, повелительницы. Лицо расплывается в улыбке. Уголки губ уходят за уши, но не больше, чем на один метр.

Лицо выражает искусственно созданную радость. Вы держите этот ненормальный для Вашего состояния «мышечный корсет», внутри формируете, высасываете из пальца приподнятое настроение. Чему Вы улыбаетесь? Тому, что сейчас начнете видеть чуточку лучше. Сознательно создайте ожидание положительного результата и все!

Я еще не встретил человека, у которого по этой формуле зрение бы не пошло, к Вашему сведению!

В свое время я был тренером по рукопашному бою. Один парень тренировался с каким-то остервенением. Я выгонял его из спортзала, а он не уходил.

Техникой он овладел прекрасно и в тренировочном бою не пропускал ни одного удара. Но у него была проблема — неуверенность в себе. Нет человека, в котором не было бы страха. Страх самосохранения существует у всех. А у него этот страх превратился в неуверенность в своих силах. В контактном бою он всегда проигрывал.

Я говорил ему — **не техника побеждает, а дух!** Но ничего не менялось.

Однажды ко мне приехал чемпион Казахстана по каратэ среди работников МВД.

Я его попросил показать моим ребятам технику и так вскользь заметил, что среди них есть один очень хорошо подготовленный технически. С ним нужно быть осторожным.

Таким образом, в душе у него я посеял сомнение. А потом, когда пришли ребята, сказал:

— Завтра к нам приезжает один выскочка, такой трепач. Он выпендривается, что самый сильный боец. Надо его проучить. Я знаю, что любой из вас от него мокрого места не оставит.

И, указывая на одного новичка, который даже ногу еще не мог поднять, добавил:

— Вот ты можешь его размазать.

А потом, обращаясь к моему трусу, я сказал:

— Ты техничный, немножко попугай его.

Во время встречи мой парень сделал из этого чемпиона таку-у-ю котлету! Когда же я ему назвал фамилию чемпиона, которого он победил, у него чуть выкидыш не случился...

В 1994 году в Хиросиме была Олимпиада азиатских игр. Три парня, получившие призовые места, были из Ташкента. Мой ученик был первый. Он победил всех и китайцев, и тайваньцев, потому что однажды получил урок: **прежде чем идти в бой, нужно стать победителем самого себя.**

Ясно?

Корону надели!!! Итак, берем управление процессом выздоровления в свои руки! Даже если Вы родились в очках, меня это не волнует, Вы все равно восстановите зрение!

Техника безопасности

1. С первых дней занятий негативных выводов о себе и своих способностях не делайте.

2. Всегда работайте над зрением, даже с закрытыми глазами, без очков!

3. Подберите более слабые очки, чем те, которые обычно носите, и сегодня же наденьте их. По мере улучшения зрения эти очки тоже станут Вам «велики».

Меняйте их до тех пор, пока потребность в них вообще не отпадет.

Если Вы останетесь в старых очках, тогда не мечтайте об успехе!

В первые дни работы с таблицей улучшение начнется еле заметно, осторожно, со скрипом. И все достигнутое пока будет оставаться очень зыбким.

Если Вы наденете старые очки хотя бы на 5 минут — давняя привычка десятилетиями носить на носу «велосипед» тут же мгновенно вспомнится. И потом вернуться к наработанному результату будет значительно тяжелее.

Строить труднее, чем ломать! Труд, с помощью которого Вы достигнете цели, очень легко разрушить. Вы должны навсегда закрыть в душе путь назад, только тогда Вы пойдете вперед.

4. Если Вы можете обходиться без очков, это относится к тем, у кого зрение 1,5—2 дпт., то попрощайтесь с ними навсегда уже сегодня. Больше не надевайте их никогда и нигде. Очки — это костыли для глаз.

5. Во время коррекции зрения нельзя прищуриваться и таращить глаза. Работать нужно без перенапряжения.

6. Не спешите! Одна строчка таблицы на два-три дня работы, 0,25 дпт. в сутки.

7. Не успокаивайтесь на достигнутом результате, а продолжайте работать! Как только успокоитесь, остановитесь, расслабитесь, так зрение перестанет улучшаться. Помните? Маховик — инерция — остановка.

Как преодолеть хроническое возвращение
к недугу?

Если после выздоровления болезни возникают вновь, то это происходит, в основном, между вторым и третьим этапами. Больной выздоравливает, но в памяти у него эта болезнь остается.

Например, утром по привычке он начинает искать очки и вдруг вспоминает: «Я же без очков хорошо вижу». Но при этом почему-то ощущает дискомфорт. Привычка начинает давить.

И этот период неудобства надо преодолеть. Хроническое возвращение к недугу это старая программа, все еще работающая в голове. И еще...

«ЧЕЛОВЕК РАСПОЛОЖЕН К ПЛОХОМУ»

Чтобы предостеречь Вас от ошибок, расскажу случай из практики.

У нас в группе занимался мальчик с обширным бельмом на глазу. Ребенок работал над собой, и в результате от бельма осталась лишь еле заметная ниточка.

Он пошел обследоваться. И одно слово окулиста ребенка сделало слепым. Врача попросили только посмотреть, а он говорит: «Мальчик не может видеть, я в прошлый раз его осматривал, это невозможно».

Врач, который говорит больному, что тот неизлечим, это — преступник, возомнивший себя Господом Богом.

Однажды ко мне на стажировку приехал коллега из Республиканского Центра микрохирургии глаза. Хороший врач. Он всегда с собой носил толстенную книгу. Когда я посмотрел, это оказался справочник глазных болезней 1928 года.

Я спросил его:

— Зачем тебе такая старая книга?

Он ответил:

— Лучше ее нет.

Это значит, все достижения науки за эти годы его не интересуют, он не знает о них. Берегите себя! В каждой профессии найдется случайный человек, семья не без уродов. Одна паршивая овца поганит все стадо.

И как быть с тем, что человек расположен к плохому? Десять добрых слов и поступков могут быть перечеркнуты одним плохим словом, и все Ваши созидательные стремления и усилия сведены к исходной точке.

Еще Иисус Христос говорил, что человек расположен больше к плохому. Пациент впитывает негативную информацию, как губка.

Например, врач — прекрасный специалист, компетентный и внимательный, «ведет» тяжелобольного. Он назначает лечение, контролирует его ход и постоянно подбадривает пациента. Без сомнения, эффект будет значительный. И вдруг какая-нибудь санитарка войдет и бросит между делом:

— Сколько лет работаю здесь, я никогда не видела, чтобы от этой болезни вылечивались.

Именно эти слова западут в душу человеку, посеют сомнения и сведут на нет все усилия врача.

Остерегайтесь умников, которые начинают высказывать свое мнение.

НЕ НАДО ОБЩАТЬСЯ С ДРУГИМИ ОЧКАРИКАМИ, особенно до окончательного завершения работы (см. третий этап — адаптация).

Люди терпеть не могут тех, кто не похож на них. Помните про толпу и личность? А слова других людей имеют очень сильное влияние. Будьте сами себеголовой.

Представьте, Вы решили заниматься восстановлением зрения. В Вашем окружении находятся еще несколько очкариков, которые тоже хотят иметь хорошее зрение, но когда узнают, что надо тренироваться каждый день по 15—20 минут — это приводит их в ужас. Они тут же начинают нападать:

— Да не может быть, это ерунда, я не верю, разные вещи пишут всякие шарлатаны...

Почему? Потому что подобным отрицанием эти люди защищают свою вопиющую невежественную лень. Так что, мой читатель, берегите себя, берегите экологическую чистоту своего сознания. Остерегайтесь! Вот где опасность!

Если Вы помните, в процессе работы период улучшения зрения сменяется небольшим спадом волнообразно. А так как человек расположен к плохому, значит, вероятнее всего, что ухудшение сопровождается более сильной эмоциональной реакцией, чем улучшение. Но если помнить и подходить к этому сознательно, то можно избежать попадания в ловушку, поставленную своим характером.

Будем вырабатывать новую привычку.

Ну ка-а-к? У Вас есть сомнения, что Ваше зрение начнет улучшаться? Послушайте свой внутренний голос, какой ответ он подсказывает. Если положительный, тогда Вам придется доказать, что у Вас глаза квадратные!

Научные изыскания на соискание ученой степени доктора, хрен знает, каких там наук, но по теме:

МЕХАНИЗМ ВОЗНИКНОВЕНИЯ
второго дыхания
во время убегания
от преследования отряда
сексуально-маниакальных мышей

Теория.
Научное обоснование применения механизма для лечения застревания глаз в унитазиках, т. е. в очках.

Этапы приспособления организма к новым условиям

В нашем организме есть участки, исполняющие роль аккумулятора, собирающего и удерживающего энергетический импульс. Его можно сравнить со сжатой пружиной или рогаткой в боевой готовности. Внезапный шорох, испуг — рука дрогнула, и камень полетел. Тело приняло соответствующую позу, изменился «мышечный корсет».

Первая адаптация происходит через молниеносный нервный импульс. Он подобен взрыву. Взрывной импульс действует короткое время. Запас прочности организма в этом случае маленький. Примером могут служить бегуны в спринте, которые на коротких дистанциях выкладываются полностью.

К этому моменту гормональная система выбрасывает со своих складов НЗ. Происходит второе приспособление организма к окружающей среде. Это можно сравнить с бегунами на средние дистанции. Они изначально бегут медленнее, чем в спринте, и силы расходуют постепенно. У них интенсивность воздействия небольшая, но более длительная.

Когда гормоны уже успели поработать, в нашем организме происходит «всеобщая мобилизация», поднимается «весь народ», и происходит это через кровь. Тогда открывается, как мы говорим, второе дыхание. Организм уже готов к более длительным повышенным нагрузкам. Это сравнимо со спортивной ходьбой.

Оказывается, не последнюю роль в адаптации организма к новым условиям играют эритроциты крови.

Это для Вас новость? Попались!

Мы ведь об этом уже говорили, когда речь шла о закономерностях каталитической активности мембраносвязанной ацетилхолинэстеразы эритроцитов и хлоропластов биологических систем при их адаптации к внешней и внутренней среде. Ну хорошо! Тогда еще раз о том же самом домашним языком!

То, что эритроциты осуществляют газообмен, — это знает даже школьник. Но они еще работают почтальоном-курьером по передаче долгосрочных приказов об изменениях на всех уровнях, исходящих от центральной нервной системы.

Повышение эмоционального настроя, вызванное волевым усилием, влияет на первичный мозг (гипоталамус, таламус), который связан с эмоциональным центром. Он отвечает за простейшие функции организма по типу: «Мне тепло, мне холодно, мне грустно, мне весело, жрать хочу!..» Эти элементарные приказы передаются всему организму через кровь от мозга к периферии. Поэтому, если человек огорчается или радуется, то об этом сразу же узнают все клеточки организма. Итак, мысль влияет на эмоциональный центр, и **адаптация всех внутренних процессов происходит через кровь. Значит, эмоции тоже передаются через кровь.**

А теперь вопрос на засыпку!

Когда у Вас что-то болит, как Вы поступаете в этом случае?

Запомните, пожалуйста, свой ответ.

Мой наставник говорил:

— Ты должен относиться к нездоровому органу, как к ребенку, которому несколько месяцев от роду.

А я-то был холостой! С умным видом я что-то делал. Но только с годами и опытом я испытал всю глубину чувства, которое требовалось тогда моим почкам.

Ребенок самостоятельно может только дышать, сосать, глотать, поддерживать температуру тела, переваривать молочко, писать, какать. В остальном он полностью зависит от Вас. Любое недовольство, жалобу или просьбу он может выразить только плачем.

Нездоровый орган это тот же беспомощный ребенок, который полностью зависит от Вас. Если что-то не так, то свое состояние он может донести через дискомфорт, недомогание, боль. Ребенок начал плакать, что будете делать? Вот теперь повторите тот свой ответ, который Вы запомнили. Значит, ребенок плачет, а Вы...

Давайте проведем анализ Вашего ответа и сравним свое отношение к нездоровому органу с отношением к грудному ребенку. Если у Вас что-то заболело, Вы идете в аптеку за болеутоляющим.

«Ребенок» начал хныкать — боль появилась, а нас это раздражает, не дает покоя. Берем анальгин и даем «ребенку». Боль приглушили, «крика» не слышно, покой в доме наступил.

Вы знаете, что это не хорошо, но продолжаете делать, так проще, быстрее. А «ребенок-то» находится в полной зависимости от Вас. Он и так долго терпел, но когда у его силы иссякли, он «закричал», просто вынужден был обратиться за помощью. Вы ему говорите: «Замолчи!» А он все равно плачет.

Вы чувствуете абсурдность подхода к себе?

Я, например, когда ребенок плачет, в первую очередь проверяю, не мокрый ли? А может быть, он лежит неудобно или пеленка где-то давит. Может быть, он голодный, или у него животик болит, или... или... или...

То есть сначала нахожу причину дискомфорта, а потом ее устраняю, и ребенок тут же успокаивается.

Значит, что бы Вы ни делали, как бы ни работали с нездоровым органом, подход всегда один, как к грудному ребенку. Потому что он — это часть Вас самих, Ваше будущее и зависит оно тоже от Вас.

Если Вы хотите вылечить свои глаза или любой другой нездоровый орган, то необходимо поступать по законам природы, а не вопреки им: найти и устранить причину «плача», дать то, чего не хватает.

У нашего дальнего родственника, живущего по соседству, много лет не было детей. В сорок лет родился сын. Жена и мать так его лелеяли, что даже летом тепло одевали.

В конце концов ребенок заболел и умер. Родился второй ребенок, но тоже умер. Дошло чуть ли не до развода. Жена обвиняла мужа, а муж обвинял жену.

Моя мама сказала:

— Я воспитала семерых детей и тридцать пять внуков. Следующего ребенка я возьму под контроль.

Родился третий ребенок. Моя мама ухаживала за ним. Она голенького малыша подставляла солнечным лучам, ветерку. А они протестовали и говорили ей: «Вы что делаете?! Ребенок простудится!»

Она сберегла этого ребенка от слепой, нерадивой и, как показал опыт, гибельной любви родителей.

Сейчас этому мальчику 15 лет. До пяти лет он и зимой, и летом ходил голый, потому что на него невозможно было ничего одеть. Он тут же одежду снимал.

В нашем доме дети до пяти лет не одеваются. А мы живем в горах. Ко всему наш организм привыкает.

Значит, что нужно дать этому «ребенку»?

Надо закалять организм и тот нездоровый орган. Постоянно не кутать, т. к. «в береженый глаз всегда шишка попадает». Дать полноценное питание.

Во время выполнения упражнения, когда Вы будете «ребенка» успокаивать, подходите с лаской, любовью, нежностью, в общем, с чувством.

Наставник мне говорил: «Создай отцовскую любовь!»

Теперь я понимаю: в чем-то он ошибался. Он слишком долго жил и забыл, что чувствует еще холостой юноша.

Я понимал и вызывал какие-то чувства, ощущения, и дело у меня продвигалось, но очень медленно. Потом, когда я впервые ощутил отцовское чувство, это было что-то неописуемое.

Я, конечно, готовился к тому, что скоро стану отцом, но все равно это событие застало меня врасплох. Однажды, когда в очередной раз вернулся из командировки, мне говорят:

— Поздравляем с сыном.

Прислушиваюсь к сердцу — там ничего. Подумал: «Странно, что же такое отцовское чувство?» Мне дали какой-то сверток.

Когда в машине приоткрыл кружевной уголок, сначала даже испугался. Вижу, лежит какой-то красненький сморщенный маленький старичок.

Первое мое чувство было: «Неужели все дети рождаются такими?!»

Пришли домой. Прислушиваюсь: чувств никаких, только заметил, что на меня никто не обращает внимания. Все: и молодая мамаша, и родители — стоят вокруг этого крикуна.

«Ну, — думаю, — отцовские чувства появятся на следующий день». А вместо этого добавились новые запахи. Через две недели мне снова нужно было уезжать в командировку.

Вернулся уже через 3 месяца. Плач превратился в рев. Запах от подгузников стойкий. Сна по ночам нет. В общем, кроме раздражения, ничего!

И вот однажды я приезжаю домой, иду к сыну и вдруг обнаруживаю, что из манежа, где его оставили, он исчез.

Оказывается, к этому времени он уже начал самостоятельно передвигаться, где ползком, где как. Я обыскал весь дом, нигде нет. Тогда заглянул в чулан. А там как раз стояли еще не закрытые банки с вареньем. В тот день домашние занимались заготовками.

Я посмотрел и понял: сын здесь был. Две трехлитровые банки лежат на боку в огромной луже варенья, перья, собранные для перины, разметаны по всему полу, и свежий след ведет под кровать. А оттуда, хитро блестя, смотрят на меня два уголька глаз. Все остальное — в варенье, пухе, перьях, пыли и мусоре, собранных, кажется, со всех чуланов нашего квартала. Я взял его на руки и понес купать.

В тот момент, когда я начал его мыть, у меня возникло новое, необъяснимое, но очень приятное чувство. Это одновременно и трепетная нежность, и, вместе с тем, ликующая гордость.

Наверное, никто не сможет описать словами родительское чувство. И когда я прижал его к себе, ощутил на груди его коленочки, а у лица свежее родниковое дыхание, у меня на душе стало так хорошо, легко и покойно, что я вдруг почувствовал, что улетаю.

Возникло такое ощущение, как будто за спиной выросли крылья: «Это мой сын!»

Наверняка Вы, дорогой читатель, хоть раз в жизни испытали нечто подобное.

И когда Вы смотрите на своего ребенка, на его рост, Вы представляете, каким он станет. Вы тревожитесь за его будущее и вместе с тем гордитесь.

Значит, еще раз!

С глазами или любым другим нездоровым органом нужно работать с такой нежностью и заботой, с какой Вы ухаживаете за больным ребенком. И в то же время, когда Вы свой внутренний взор будете направлять туда, нужно с гордостью представлять будущее, как будущее своего ребенка: что завтра Ваши глаза будут видеть чуточку лучше, чем сегодня. И так каждый день.

Сегодня Вы им даете своеобразный «аванс», а завтра непременно получите такую «благодарность», о которой даже не смели мечтать. Вот в этом и заключается суть: вначале чувство, а потом результат. С каждым днем все лучше, лучше и лучше.

УПРАЖНЕНИЯ ДЛЯ ГЛАЗ

На Востоке существует древний способ диагностики заболеваний по движению глаз, не по радужной оболочке, а именно по движению глазных яблок.

Например, специалист просит Вас «нарисовать» глазами окружность и смотрит, как Вы это делаете.

Оказывается, в зависимости от заболевания, глаза начинают где-то «срезать» углы, линия получается неровной. Это еще раз подтверждает, что все в нашем организме взаимосвязано и взаимозависимо.

Но сам человек не может проследить за правильностью движения глаз, поэтому попросите кого-нибудь из родственников помочь Вам.

Выполняя упражнения для глаз правильно, мы не только тренируем мышцы, но и опосредованно работаем с нездоровыми органами.

Итак, следите за тем, чтобы во время выполнения упражнений движения глаз четко «рисовали» указанные линии. Приступаем!

С чего мы начинаем любую работу над собой? Вы помните?

А ну-ка, расправьте плечи. Вначале примите «мышечный корсет». Что для этого нужно? Правильно! Выпрямить спину и растянуть улыбку до ушей. Затем внутри искусственно вызвать положительные эмоции. Как? Вы это уже знаете! Сделали?

А теперь можно начинать выполнять упражнения. Только не забывайте моргать!

1. Голову держите прямо, не запрокидывайте. Взгляд направлен вверх (в потолок), а мысленно продолжаем движение глаз под череп на макушку, как будто Вы туда посмотрели.

2. А теперь глаза вниз, а внимание в область щитовидной железы, как будто Вы заглянули туда, где наше горло.

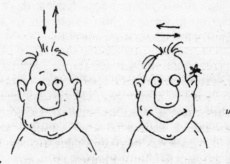

3. Посмотрели влево: глаза смотрят на стену, а внимание ушло за левое ухо.

4. Посмотрели вправо: глаза смотрят на другую стену, а внимание ушло за правое ухо.

Почему важно при выполнении этих, казалось, давно известных упражнений продолжать движение глаз на мысленном уровне?

Еще в древние времена на Востоке было известно, что в области макушки находится огромный пучок энергетических каналов, а у внешнего края глаз — центры, связанные с желчными протоками.

Поэтому, мысленно продолжая движение глаз, например, за ухо, мы тем самым влияем на желчные протоки и печень. Глаза — это окна печени. Я не случайно говорю об этом.

За внешней простотой всех упражнений на восстановление зрения кроется глубинный смысл, уходящий корнями в древность.

Но, как и во всем, здесь тоже нужно помнить о технике безопасности. Не переусердствуйте. Любое перенапряжение в работе с глазами приводит к противоположному результату.

Вот почему здесь еще раз хочу обратить Ваше внимание на описанные выше расслабляющие упражнения для глаз, которые благотворно влияют и на весь организм в целом. Но сначала поработаем.

5. «Бабочка». Непременное условие выполнения упражнения: голова неподвижна, работаем только глазами. «Рисунок» должен получаться максимально возможного размера в пределах лица, но мышцы глазных яблок при этом не перенапрягайте, следите за состоянием!

Взгляд переводим в такой последовательности: в нижний левый угол, в верхний правый угол, в нижний правый угол, в верхний левый угол.

А теперь наоборот: в нижний правый угол, в верхний левый угол, в нижний левый угол, в верхний правый угол. А сейчас расслабьте глаза, поморгайте часто-часто, легко-легко. Примерно так, как машет крылышками мотылек.

Никогда не щурьтесь, никогда не открывайте глаза очень широко! Все это создает напряжение, которое противопоказано!

6. «Восьмерка». Непременное условие выполнения этого упражнения такое же, как в «Бабочке».

А теперь глазами плавно опишите горизонтальную восьмерку или знак бесконечности максимального размера в пределах лица. В одну сторону несколько раз, а затем в другую. Поморгайте часто-часто, легко-легко.

7. Упражнение на косоглазие.

Здесь работают косые мышцы глаз. Оно очень эффективно при близорукости. Способствует развитию бокового зрения.

Особое замечание: это упражнение следует выполнять в спокойной обстановке. Никто и ничто не должно Вас напугать.

Посмотрите на свой кончик носа, скосив глаза. Или поставьте перед собой палец и смотрите на него без отрыва, постепенно приближая его к кончику носа. Глаза сошлись.

После этого посмотрите вперед расслабленно, рассеянно, а внимание распределите по сторонам. То есть отметьте какие-нибудь предметы боковым зрением, не переводя взгляда!

И так попеременно

на кончик носа — вперед и, не переводя взгляда, в стороны,

на переносицу — вперед и в стороны,

на точку между бровями, а потом опять вперед и, не переводя взгляда, в стороны.

Продолжаем 7—8 раз в каждом направлении.

Взгляд каждый раз переводим с точки на точку плавно, спокойно.

Упражнение делайте медленно, но с радостью и чувством благодарности к себе. Улыбка на месте? Отлично! Проверьте внутреннее состояние! Опять поморгайте глазами, похлопайте ресницами.

8. Упражнение на разведение осей зрения.

Указательные пальцы подносим к кончику носа и взгляд устремляем на них. Затем начинаем, медленно-

медленно отдаляя пальцы от носа, разводить их в стороны. При этом правый глаз «следит» за правым пальцем,
левый — за левым. Дам маленькую подсказку: сделать
это можно только боковым зрением.

Не сломайте глаза! Цель совсем другая!

Затем повторяем это упражнение, скосив глаза на
переносицу. Не забывайте об отдыхе!

9. *«Большой круг».*

Выполняем круговые движения глазными яблоками.
Голова остается неподвижной. Представьте перед собой
большой циферблат золотого цвета. Этот цвет способствует восстановлению зрения.

Медленно ведите взгляд, отмечая каждую цифру на
воображаемом циферблате. Сначала в одну сторону, потом в другую.

Внимание! Углы не срезаем! Следите за тем, чтобы
линия получалась ровной. Радиус круга по мере тренировок будет постепенно увеличиваться.

Спокойно моргайте, не переутомляйте глаза.

А теперь то же упражнение, но лицо обращено к
небу. Глаза открыты.

Повторяем это упражнение в двух вариантах в обе
стороны, но уже с закрытыми глазами. В это время мас-
сируется хрусталик.

В душе радость от того, что, когда откроем глаза, мы будем хорошо видеть. Создайте такое трепетное ожидание результата и в то же время состояние снисходительного спокойствия, что будет именно так, как Вы хотите.

Упражнения 1—8 выполняются в три этапа: сначала с открытыми глазами, потом с закрытыми, а затем повторяются только мысленно. В это время происходит внутренняя работа на клеточном уровне.

Особо обращу Ваше внимание на то, что упражнения разминки для глаз следует выполнять в той последовательности, в которой они описаны, по степени увеличения сложности.

Запомните!

Большое напряжение на глаза приводит к ухудшению зрения. Поэтому следите за нагрузкой по своим ощущениям и чаще (чем чаще, тем лучше!) практикуйте расслабляющие упражнения.

Рассмотрим психиатрофизиологический ФУНДАМЕНТ ухудшения зрения

Глаза — это показатель того, как мы смотрим на мир. Если зрение ухудшается или возникают разного рода проблемы с глазами, то очень возможно, что человек внутренне от чего-то отгораживается в своей жизни, или на глубинном подсознательном уровне его что-то не устраивает в окружающем мире.

Это может быть связано с любыми событиями в прошлом, настоящем или будущем. Если Вы отвергаете что-то сейчас или чего-то опасаетесь в ближайшее время, это может сказаться на состоянии здоровья глаз.

Внутреннее несогласие с самим собой, ощущение себя «не от мира сего», нежелание кого-то простить, состояние подавленности, застарелые обиды, неспособность с радостью смотреть вперед, боязнь заглянуть действительности в глаза и т. п. — все это скрытые психологические причины ухудшения зрения.

А сейчас отдельно рассмотрим, с чем связано возникновение ухудшения зрения у детей. Если такие проблемы появляются, сразу можно сказать, что дома, где малыш живет, не все в порядке.

Когда дети бессильны изменить ситуацию, они в прямом смысле не желают на что-то смотреть и неосознанно стараются рассеять внимание, сгладить контуры, чтобы окружающее не давило на них.

Другая причина, если кто-то в семье, кого ребенок больше всех любит, носит очки. Например, мамочка самая прекрасная, самая умная на свете, или кто-нибудь еще. Подсознание малыша начинает записывать всю информацию с момента рождения.

Происходит неосознанное программирование, которое обязательно срабатывает, когда ребенок достигает возраста своего идеала. Еще одна из причин — это

Возрастное ухудшение зрения

> *«Единственная болезнь, которая имеет отношение к старости, — это старческий маразм. Он, как правило, возникает от великой всеобъемлющей патриотической любви к вечному покою!»*
>
> **(Из лозунга над воротами дома престарелых, который находится в каждом из нас.)**

В первую очередь это происходит от плохого состояния позвоночника, сосудов, внутренних органов, нервной системы, питания, различных инфекций и т. д.

Многие заболевания внутренних органов связаны с состоянием позвоночника.

Многие заболевания внутренних органов связаны с состоянием позвоночника.

Позвоночник составлен из соединенных между собой костных позвонков. Между ними находятся хрящевые межпозвонковые диски.

Позвонки выполняют опорную функцию, а диски служат амортизаторами осевой нагрузки, придают позвоночнику гибкость и подвижность. Все понятно?

Тогда продолжаем.

От спинного мозга отходят нервные корешки, дающие ветви к каждому участку тела и ко всем внутренним органам.

Межпозвонковый диск состоит из фиброзного кольца и студенистого ядра. Ну про фибры души Вы уже знаете!

Каждый день позвоночник должен иметь определенную полезную нагрузку. Если Вы целый день сидите: мозги работают, руки работают, а позвоночник не получает необходимого количества движений, не поддерживается должная гибкость, то накапливаются всякие отложения. Хрящи становятся более жесткими.

«Мусор» начинает спрессовываться, и образуется «панцирь», который не только сковывает движения, но и защемляет нервные корешки. Происходит нарушение обменных процессов во всех органах и тканях.

При нарушении осанки происходит перераспределение нагрузки на межпозвонковый диск, ухудшение его питания. Другими словами, он начинает недоедать!

Это приводит к изменению местоположения позвонков друг относительно друга, сдавлению нервных корешков, кровеносных и лимфатических сосудов.

Дальше — больше!

При неправильной осанке нарушается нормальная циркуляция спинномозговой жидкости, как в позвоночнике, так и внутри черепа. Соответствующие участки спинного и головного мозга начинают хуже работать.

Ухудшение питания межпозвонкового диска постепенно приводит к снижению эластичности фиброзного кольца. Оно уже не может выдерживать давления. В нем образуются трещины, через которые за счет давления начинает «выходить» студенистое ядро. Вот Вам, пожалуйста, процесс формирования межпозвонковых грыж!

Если грыжа ориентирована кзади, возможно сдавление спинного мозга в этой области, а значит, притупление чувствительности, ограничение двигательной активности, сильные боли.

В результате нарушений в позвоночнике возникают такие, на первый взгляд, обыденные, часто встречающиеся заболевания, как остеохондроз, люмбаго, радикулит, ишиас, миозит, грыжа Шморля, кифоз, сколиоз. Не говоря уже о вегетативно-сосудистой дистонии, мигрени, симптоматической гипертонии, преходящих нарушений мозгового кровообращения, кривошее, различных артрозах, межреберной невралгии и многих заболеваниях внутренних органов и систем.

Вследствие нарушения питания спинного и головного мозга происходят нежелательные колебания внутричерепного давления.

Этот список можно продолжать и продолжать.

Получилась почти детективная история, не так ли?!

Ну что, мой сутуленький и горбатенький, хотите ли сейчас с научной точки зрения посмотреть, что такое остеохондроз?

Радостно сообщаю — этого еще никто не знает! Парадокс? Да, дорогой мой, это так.

Существуют разные научные точки зрения относительно остеохондроза, которые обосновывают и доказывают свою исключительность. Каждая из них имеет право на существование!

Вся беда заключается в том, что ни одна из них не открывает пути его полного излечения. Это говорит о многом, Вы согласны?!

Когда мы точно знаем природу заболевания, мы в состоянии его вылечить или вовсе не допустить! А так мы всегда лечим, к великому сожалению, только следствие!

Раз единого взгляда на эту проблему нет, я тоже воткну в этот базар свое о-о-очень умное соображение!

Теория от Норбекова!

Знаете ли Вы, каков химический состав соли, которая откладывается в суставах и прочих местах и особенно у Вас в тканях мозга? Не отрицаю, у меня тоже, раз я столько лет общаюсь с Вами!

Если говорить простым языком — это мочевина.

Теперь Вы понимаете всю глубину народной мудрости «остеохондроз ударил в голову»?! После такого «удара» глаза вылезают из орбит, и вследствие этого возникает дальнозоркость.

Позвоночник имеет каркас из мышц, который обладает природной способностью растягиваться и также отсыхать, если хозяин дурак.

Это только одна из закономерностей появления дальнозоркости, но на самом деле и другие заболевания, как Вы уже, наверное, поняли, в той же мере связаны с плохим состоянием позвоночника.

Даже самые незначительные нарушения обмена веществ в тканях мозга приносят очень много проблем.

Проводя упражнения на восстановление гибкости позвоночника, мы увеличиваем его эластичность. За счет этого межпозвонковые диски принимают свою нормальную форму.

А в результате восстановления обмена веществ нормализуется и состав костной ткани, что приводит к восстановлению ее опорной функции.

Подключение к работе «молчащих» капилляров восстанавливает нормальную циркуляцию крови, доставку необходимых веществ к клеткам и отток «отработанных» веществ.

Постепенно за счет восстановления нормального тонуса мышц восстанавливается правильное положение позвоночника, а окрепшие мышцы и связки уже могут его удерживать в нем. Постепенно восстанавливается нормальная конфигурация и тонус межпозвонкового диска, нормальная ширина межпозвонковых щелей и сдавление нервных корешков и сосудов уже не происходит. И, таким образом возобновляется работа соответствующих органов и систем.

Именно поэтому необходимо каждый день выполнять суставную гимнастику. Тогда наша почти детективная история закончится очень даже хорошо!

СУСТАВНАЯ гимнастика с начинкой

Можете ли Вы сейчас сходу сесть на шпагат? Не можете. А если начнете тренироваться, то соответствующие мышцы будут постепенно растягиваться, и с каждым днем Вам будет все легче и легче садиться все глубже и глубже!

В один прекрасный день, хоп!.. Даже если Вам 90 лет — Вы сядете на шпагат!

Внимание!

Закостенелый неподвижный позвоночник, гиппопотамовская походка — это все явления Вашего образа жизни.

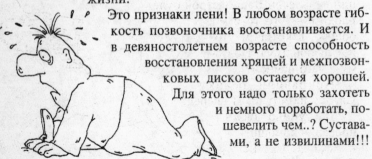

Это признаки лени! В любом возрасте гибкость позвоночника восстанавливается. И в девяностолетнем возрасте способность восстановления хрящей и межпозвонковых дисков остается хорошей. Для этого надо только захотеть и немного поработать, пошевелить чем..? Суставами, а не извилинами!!!

Если наше тело не работает, то и «зарплату» не получает.

Например, если Вы правую руку положите в карман и полгода будете ее просто носить в кармане, то мышцы начнут атрофироваться, а мышцы другой руки — накачиваться, так как на нее падает двойная нагрузка.

Это означает, что наше тело каждый день проводит анализ и приспосабливается к условиям, которые мы сами можем создать оптимальными.

Значит то, что мы сейчас будем делать, это не физзарядка, это специально подобранные упражнения, направленные на нормализацию функции позвоночника. Это означает устранение всевозможных недугов, как перечисленных выше, так и не обозначенных здесь вовсе.

Не забудьте измерить свой рост. Вы будете расти (в среднем на 1—3 см и более) за счет восстановления нормального расстояния между позвонками.

Главное не сами упражнения, а Ваше внутреннее состояние, в котором Вы их выполняете.

Девяносто процентов внимания нужно направить на созидание внутреннего настроя и только десять процентов — на технику выполнения.

Настрой вызываем искусственно усилием воли.

Запомните! Само собой, из воздуха ничего не возникнет. На сегодняшний день, если Ваш настрой будет плохим — это то самое болото, в котором утонет любой труд. Поэтому с чего начнем?

Поправили осанку, улыбку натянули! И вперед!

Наступило время проверки домашнего задания. Достаньте список с положительными и отрицательными чертами характера.

Ка-а-к?!

Вы его еще не написали?!

Вам полагается хор-р-р-ошая взбучка!

Так и быть! Даю Вам последний шанс! Составьте его сейчас. Не сегодня, а сейчас!

(См. Приложение 1.)

Массаж ушных раковин

Каждое движение здесь и дальше следует выполнять не менее 8—10 раз сначала в одном направлении, а затем в другом.

В описании будут встречаться обобщенные формулировки типа «несколько раз» или просто «сначала в одну, потом в другую сторону».

Так сделано сознательно с той целью, чтобы механический подсчет количества повторов не поглотил все Ваше внимание.

Главное, куда нужно направить мысли и душевные силы, Вы уже знаете — на внутреннее состояние, на формирование тех положительных сторон характера, которые на Ваш взгляд развиты недостаточно. Ни в коем случае нельзя опускаться до автоматизма. Это путь в никуда.

На поверхности ушных раковин расположено более тысячи биологически активных точек, поэтому, массируя их, мы опосредованно воздействуем на весь организм.

Настрой! Взялись за уши, схватили всю ушную раковину в кулак.

Та-а-к!

А теперь посмотритесь в зеркало. Видите страшное выражение лица, как у людоеда! Что, главное уже забыли?

Главное — настрой, ЁЛКИ-ПАЛКИ! Опять у Вас хищническое выражение...

Ну-ка, осаночка, улыбочка!

Приготовились! Поехали!

Упражнение № 1

С юмором тянем ушные раковины вниз так, чтобы оттянулось внутреннее ухо. В каждое движение вкладываем радость!

Легкое расслабление чередуем с более выраженным напряжением.

Потом аналогично несколько раз вверх. Только прошу Вас, соблюдайте технику безопасности! Уши не оторвите!!!

Упражнение № 2

А теперь. Возьмитесь за середину ушной раковины. Тянем в стороны и чуть назад от наружного слухового прохода. С каждым новым движением оттягивайте уши как можно дальше, дальше, дальше...

Если внутри уха возникает ощущение растягивания, значит, Вы все делаете правильно. Ну как? Уши пока на месте? Отлично!

Упражнение № 3

Теперь круговые движения. Опять схватите все ухо полностью, держите в руке, как чебурек.

По кругу начали крутить. Уши горят?! Очень хорошо!

Плечи поправили! Создаем искусственно радость, гордость за свою работу над собой. Внимание свое направьте в область ушей. Выполняйте упражнение с чувством. Ваше отношение к себе всегда материализуется.

Упражнение № 4

Меняем захват ушной раковины. Ладонь, основанием большого пальца плотно прижимаем к ушам таким образом, чтобы внутри возникло ощущение вакуума. (Ладони удобно развернуть так, чтобы пальцы были направлены назад.)

Выполняем круговые движения в обе стороны.

Во время упражнения создайте такое ощущение, что Вы всемогущи и все Ваши повеления подлежат исполнению. Помните «Октаву»?!

Настрой!!! Создайте чувство, что Вы сильный человек. Удерживайте внутренний образ!

Упражнение № 5

Осторожно! У кого повреждена или отсутствует барабанная перепонка — это упражнение выполнять нельзя!

Затем движения останавливаем. Еще плотнее прижимаем ладони к ушам и резко отрываем их, чтобы в ухе раздался хлопок. Все внимание держим в ушках.

Как успехи?

Для ответа на этот вопрос предлагаю тест по Норбекову на правильность выполнения упражнений, который Вы проведете самостоятельно с помощью линейки.

Если к концу каждого десятого занятия уши выросли меньше, чем на 20 см, значит, выполняете упражнения недобросовестно!

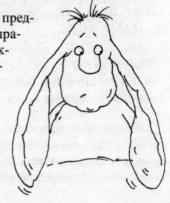

Упражнения для суставов рук и ног

Кисти

Каждое движение повторяем 8—10 раз!

Упражнение № 1

Сжимаем-разжимаем кулаки (несколько раз, Вы уже знаете примерно сколько), ритмично, как можно быстрее.

Упражнение выполняется в двух вариантах: сначала акцент делаем на сжимание пальцев в кулак (хватательные движения), а затем — на разжимание (бросательные), причем пальцы нужно выпрямлять полностью.

Создайте ощущение того, что Вы ЧЕЛОВЕК с большой буквы, самый красивый, самый волевой! Внутренне прочувствуйте этот образ. Улыбка на лице.

Упражнение № 2

Каждым пальцем по очереди выполняем движение, как будто Вы кого-то с любовью щелкаете по лбу.

Упражнение № 3

Последовательно сжимаем пальцы от мизинца к большому несколько раз, а потом от указательного к мизинцу. После чего встряхиваем кисти рук, расслабляем мышцы.

Упражнение № 4

Акцентируем внимание на лучезапястном суставе.

Руки вытянуты вперед параллельно полу, кисти направлены в сторону туловища, кончики пальцев тянем к себе. Делаем несколько пружинящих движений, чередований напряжения и легкого расслабления.

Мысленным взором просматриваем область напряжения, т. е. лучезапястный сустав. Аналогично выполняем упражнение в противоположном направлении.

Вызываем еще одну порцию самоуважения усилием воли, будем выдумывать и впитывать в себя. Плечи поправили, «мышечный корсет», настрой, улыбочка.

Упражнение № 5

Руки вытянуты вперед, параллельно полу, кисти направлены ладонями вниз также параллельно полу. Разводим ладони в сторону мизинца. Это исходное положение.

Выполняем несколько пружинящих движений (мелких колебаний) кистями рук к мизинцу. Затем исходное положение меняем. Теперь обе ладони сводим к большому пальцу и повторяем упражнение.

Упражнение № 6

Исходное положение то же. Создаем гордость. Девяносто процентов усилия Вы направляете на создание настроя. Улыбочка, радость, истома по всему телу.

Теперь кисти, сжатые в кулак, вращаем по кругу максимального диаметра, сначала в одну, потом в другую сторону.

Локтевые суставы

Упражнение № 7

Плечи параллельны полу, зафиксированы. Руки согнуты в локтях, предплечья свободно висят.

Совершаем вращательные движения предплечьями вокруг локтевых суставов в обе стороны. Следите за тем, чтобы плечи не двигались.

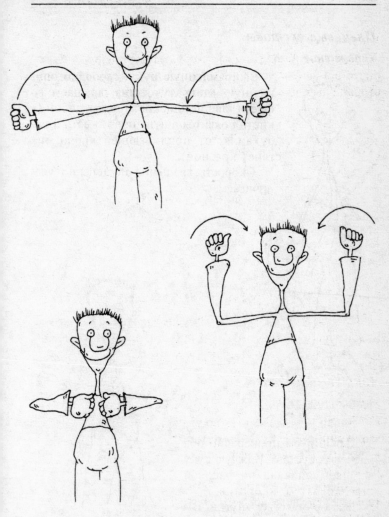

Мысленно надели корону на голову. Настрой! Добавьте какое-нибудь новое ощущение и усилием воли увеличьте его. Продолжаем.

Плечевые суставы

Упражнение № 8

Выпрямленную руку, свободно опущенную вдоль туловища, вращаем во фронтальной плоскости перед собой (в кисти появится ощущение тяжести и набухания, от приливающей крови она станет красной).

Скорость вращения постепенно увеличиваем.

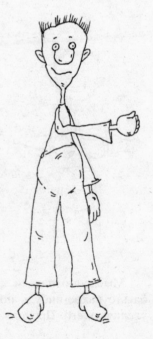

Тренируем поочередно оба плечевых сустава. Каждую руку вращаем сначала по часовой стрелке, затем — против.

Какое чувство внутри Вы вызываете?

Упражнение № 9

Голова прямо. Плечи тянем вперед навстречу друг другу. Чувствуем приятное напряжение.

Даем легкое расслабление и опять с новым усилием дополнительное напряжение, снова расслабление и т. д.

Упражнение № 10

Затем — назад, лопатки «наезжают» одна на другую. В каждую сторону выполняем упражнение по несколько раз.

9 М. Норбеков

Упражнение № 11

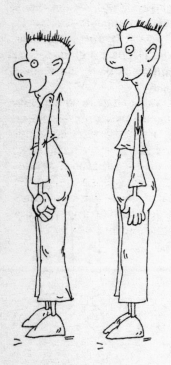

После этого плечи идут вверх, дотягиваемся ими до ушей, слегка отпускаем напряжение и снова тянемся к ушам.

Аналогично чередуем увеличивающееся с каждым разом напряжение с легким расслаблением, опуская плечи как можно ниже.

Затем снова плечи тянем вверх и заканчиваем упражнение.

Упражнение № 12

Круговые движения плечами вперед, а затем назад осуществляем по такому же принципу. Амплитуда максимальная. Технику упражнения освоили? А теперь добавьте эмоцию, создайте во всем теле весну. Молодец!

Упражнение № 13

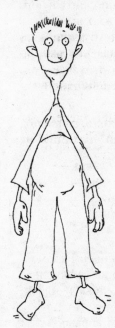

Голова прямо. Руки выпрямлены вдоль туловища. Разворачиваем их ладонями наружу, как будто «ввинчиваем» руки в пол. Проверьте! В работу включаются лучезапястный, локтевой и плечевой суставы.

После того как дошли до упора, даем дополнительное напряжение — «подтягиваем винт», и легкое расслабление. Еще дополнительное, чуть больше по силе, напряжение — «затягиваем туже» и расслабление. Делаем несколько таких движений, а затем разворачиваем руки в противоположную сторону и выполняем упражнение аналогично.

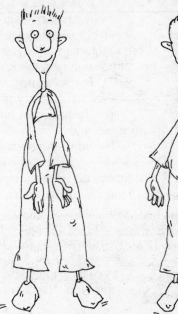

Внимание!

Во всех упражнениях чередование дополнительного напряжения с легким расслаблением нужно выполнять по принципу «подтягивания винта» для мужчин и по принципу «выжимания белья вручную» для женщин, но безболезненно.

И еще очень важное правило: как нужно дышать? Запомните правило:

На любое напряжение всегда приходится выдох, а на расслабление — вдох! И никогда дыхание не задерживайте!

Упражнение № 14

Встряхиваем руки, расслабляем мышцы.

Упражнение № 15

Руки перед грудью сцеплены в замок. Корпус прямой, положение зафиксировано. Двигаются только голова и плечи, все остальное неподвижно.

Взгляд направляем вправо, затем в ту же сторону поворачиваем голову. Правая рука начинает вправо тянуть левую.

Доходим до упора и еще поднатуживаемся, стараясь продолжить движение. Затем, не меняя положения, отпускаем напряжение и снова прилагаем дополнительное усилие.

После нескольких таких напряжений-расслаблений плавно переходим влево (теперь левая рука тянет правую) и выполняем упражнение аналогично. Что Вы создаете в душе?

Стопы

Упражнение № 16

Акцентируем внимание на голеностопном суставе. Упражнение выполняем сначала правой, а потом левой стопой.

Ногу слегка сгибаем в колене, стопу держим на весу — это исходное положение. Оттягивая носок от себя, совершаем небольшие пружинящие движения. Повторяем движение несколько раз, а затем пяткой тянемся впред, носок на себя.

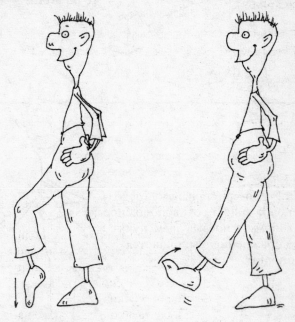

Упражнение № 17

Исходное положение такое же, как в предыдущем упражнении. Стопу разворачиваем внутрь так, чтобы если Вы поставите ногу на пол, она внешним краем коснется

его поверхности. Или можно слегка отвести ногу в сторону и выполнять упражнение как показано на рисунке.

Делаем несколько пружинящих движений стопой, стараясь с каждым разом развернуть ее больше, больше, больше. Напряжение возникает в голеностопном суставе. Какую черту характера Вы тренируете сейчас? Не забывайте об этом.

Упражнение № 18

Стопа повернута наружу (исходное положение противоположное описанному в предыдущем пункте). Упражнение выполняется аналогично.

Упражнение № 19

Поочередно каждой стопой медленно совершаем круговые движения, по несколько раз в каждую сторону. Движения такие, как будто большим пальцем ноги рисуем на стене круг максимально возможного радиуса.

Обратите внимание на то, что нога при этом абсолютно неподвижна, работает только стопа.

Механическое выполнение упражнений — это путь в никуда. Помните? Так куда Вы идете?!

Коленные суставы

Упражнение № 20

Нога согнута в колене, бедро параллельно полу, голень расслаблена. Совершаем вращательные движения голенью несколько раз в каждом направлении (по и против часовой стрелки) поочередно каждой ногой. Стоим ровно, плечи расправлены. Пропустите по всему телу чувство, что Вы ЧЕЛОВЕК, ЛИЧНОСТЬ.

Упражнение № 21

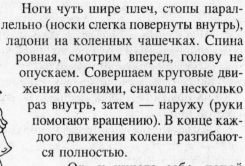

Ноги чуть шире плеч, стопы параллельно (носки слегка повернуты внутрь), ладони на коленных чашечках. Спина ровная, смотрим вперед, голову не опускаем. Совершаем круговые движения коленями, сначала несколько раз внутрь, затем — наружу (руки помогают вращению). В конце каждого движения колени разгибаются полностью.

Ох, и ничего себе, какой хруст!!!

Упражнение № 22

Ноги вместе, ладони на коленях. Описываем круги, разгибая колени в конце каждого движения. В противоположную сторону аналогично.

Упражнение № 23

Ноги вместе, в коленях выпрямлены, спина ровная. Пружинистыми движениями рук надавливаем на коленные чашечки, стараясь еще лучше их распрямить. Выполняем несколько таких движений. Смотрим вперед.

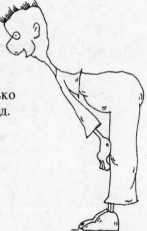

Тазобедренные суставы

Упражнение № 24

Поднимаем согнутую в колене правую ногу, бедро параллельно полу. Корпус неподвижный.

Отводим бедро до отказа вправо и, стремясь отвести бедро еще дальше, добавляем усилие. Делаем несколько таких пружинистых движений. То же самое выполняем левой ногой влево.

Создайте ощущение внутренней силы!

Упражнение № 25

Исходное положение аналогично предыдущему. Отводим бедро вправо до упора и возвращаем вперед. Делаем это с дополнительным покачиванием бедра вверх-вниз. Повторяем упражнение другой ногой.

Напоминаю про общий принцип: чередуем напряжение и расслабление при минимальной амплитуде движений.

Упражнение № 26

Исходное положение то же. Отводим правое бедро вправо как можно дальше. Это исходное положение. Коленной чашечкой «рисуем» на стене кружочки по несколько раз в каждом направлении. Аналогично проделываем левой ногой.

Упражнение № 27

Ходим на выпрямленных ногах, сначала опираясь на всю стопу, затем на пятки, на носки, на внутреннюю сторону стоп и на внешнюю сторону стоп. Можно даже ускорить шаг!

Колени не сгибаем! Плечи не раскачиваем, напряжение чувствуем в тазобедренных суставах и в области крестца.

Вызовите ощущение того, что Вы человек жизнерадостный. Удерживайте его до тех пор, пока выполняете упражнение. Получается? Молодец!

Упражнения для позвоночника

Последовательно работаем с каждым отделом позвоночника:

шейным,

верхне-грудным,

нижне-грудным,

поясничным.

Перед началом упражнений на позвоночник делаем глубокий вдох через нос и медленный выдох через рот. Если вы поели чеснок, лук или накануне хорошо выпили, то можете дыхательные упражнения делать напротив тещи.

Выдох должен быть по продолжительности минимум в 2—3 раза дольше вдоха.

С каждым вдохом впитываем физически ощущаемое чувство молодости, свежести, красоты. Искусственно создаем образ силы, уверенности в себе, ощущение того, что собственными усилиями можем исполнить любое свое желание.

Представляйте свои глаза здоровыми, четко видящими даже еле заметные контуры. Создайте искусственно внутреннее состояние победы над недугом. Посмотрите на болезнь со стороны и спокойно, но очень твердо и решительно выпроводите ее из своего тела.

Самое главное — не просто внушать себе это как положительные утверждения, а искусственно создавать в теле соответствующие мыслям внутренние ощущения. Другими словами, вызывать физически ощутимый отклик организма на образы и мысли.

Не только мышцы можно тренировать, дорогой мой читатель! Можно формировать те стороны характера, которые нужны для раскрытия потенциала, для реализации мечты. Что тренируется усилием воли, то развивается: тренируете мышцы — мышцы развиваются, упражняете выносливость — выносливость растет.

В каждом движении нужно искусственно создавать чувство, ощущение, переживание какой-либо положительной черты характера из Вашего списка. Тогда со временем они укоренятся внутри и станут Вашей сутью.

Итак, приступаем. Создайте внутри радостное состояние, и в каком бы темпе Вы ни работали, внутри должно быть спокойствие. С чего начинает возникать спокойствие? Помните? С «мышечного корсета».

Плечи поправьте! Осанка! Легкая улыбка! Расслабьте все: веки, лицо, шею, плечи, грудь, живот, ягодицы, ноги... а мышцы мочевого пузыря пока не желательно!

Вдох — безмятежность,
выдох — покой,
вдох — умиротворенность,
выдох — спокойствие,
вдох — тишина,
выдох — уравновешенность...

Дальше продолжайте дышать самостоятельно!
Настроились? Прекрасно! Тогда поехали!

Шейный отдел

Работа с шейным отделом позвоночника нормализует внутричерепное давление, улучшает зрение, слух, память, повышает работоспособность.

Со временем восстанавливается вестибулярный аппарат, улучшается состояние щитовидной железы, становится нормальным сон, устраняется онемение рук и в целом улучшается питание мозга.

Упражнение № 1

Корпус прямой, подбородок опущен на грудь. Подбородком скользим вниз по грудине, пытаясь дотянуться до пупка. Как до пупка дойдете, можете обратно идти!

Чередуем напряжение и легкое расслабление. С каждым новым напряжением стараемся продолжить движение, немного добавляя усилий, и снова легкое расслабление. Выполняем несколько таких движений.

До боли не доводите! В области шеи должно возникать чувство приятного напряжения. А в теле искусственно создайте волну уверенности в своих силах и постарайтесь как можно дольше удержать ее.

Внимание!

Если это упражнение выполнять очень тяжело или у Вас есть проблемы в шейном отделе позвоночника, то поменяйте это движение на вытягивание головы и шеи вперед.

Упражнение № 2

Корпус прямой, голову не запрокидываем, а слегка отклоняем назад, подбородок направлен в потолок. Тянемся подбородком вверх. Затем движение на секунду останавливаем, немного отпускаем напряжение, но не расслабляемся и снова тянемся подбородком ввысь.

Делаем несколько таких движений, не забывая про технику безопасности.

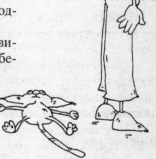

Упражнение № 3

Позвоночник постоянно прямой. Плечи во время выполнения упражнения абсолютно неподвижны.

Голову наклоняем вправо (не поворачиваем!) и без особых усилий пытаемся коснуться ухом плеча.

Не смущайтесь, если не достигнете цели сразу. И не переусердствуйте! Со временем Вы будете делать это свободно.

Затем наклоняем голову к левому плечу.

Над какой чертой характера Вы сейчас работаете? А?! Не упускайте возможность за одну работу получить несколько вознаграждений.

Упражнение № 4

Стоим ровно. Голова прямо, смотрим перед собой. Вокруг носа, как вокруг неподвижной опоры, начинаем поворачивать голову вправо. Подбородок при этом смещается вправо, чуть вперед и вверх.

Вспомните, как это делает маленький щенок, когда видит что-то интересное или реагирует на Ваши слова.

Это упражнение выполняем в трех вариантах: голова ровно (смотрим перед собой), голова опущена (смотрим в пол), голова слегка отклонена назад (смотрим в потолок). Будьте осторожны!

Упражнение № 5

Круговые движения головой объединяют в одно все предыдущие упражнения для шейного отдела позвоночника.

Голова перекатывается медленно и свободно, не перенапрягая мышцы шеи, несколько раз в одну сторону, а потом в другую. Выполняйте его с особой осторожностью и вниманием. Следите за своими ощущениями.

Если у Вас есть проблемы в шейном отделе позвоночника, то движение выполняем по такой схеме: ухом тянемся к правому плечу, подбородок направлен вниз, затем голова плавно перекатывается к левому плечу и обратно. То есть делаем неполный круг головой, без наклона назад.

Упражнение № 6

Корпус прямой. Стоим ровно. Голова на одной линии с позвоночником.

Медленно уводим взгляд вправо, следом поворачиваем голову, и до упора. Это исходное положение.

Стараясь увидеть, что находится за спиной, каждый раз дополнительными усилиями пытайтесь увеличить угол поворота. Голову не запрокидываем! Проверьте! Подбородок около плеча!

Делаем несколько таких движений в одну сторону, затем это же упражнение в другую сторону. Перенапряжения недопустимы! Дышать не забывайте!

Работа с верхне-грудным и нижне-грудным отделами позвоночника улучшает состояние сердечно-сосудистой и дыхательной систем, убирает боль при межреберной невралгии, улучшает состояние органов брюшной полости, почек, поджелудочной железы и также устраняет онемение ног.

Верхне-грудной отдел позвоночника

Упражнение № 1

Стоим ровно. Спина прямая (никаких наклонов!). Поясница неподвижна.

Плечи — вперед, руки прямые, внизу сцеплены в замок. Подбородок прижат к груди.

Руками устремляемся вниз, а задней поверхностью шеи вверх. Плечи навстречу друг другу. Подбородок, не отрывая от груди, тянем к пупку. Дыхание не задерживаем!

Верхняя часть позвоночника принимает форму дуги. Представьте, что Вы стали похожи на ежика, который несет на спине съестные запасы. Повторяем это движение несколько раз. Амплитуда небольшая.

Упражнение № 2

Выполняем упражнение аналогично предыдущему в противоположную сторону.

Выпрямленные руки, сцепленные сзади, тянем вниз, лопатки стараемся свести. Плечи не поднимаем! Голову держим прямо, не запрокидываем!

В этом положении выгибаем верхнюю часть спины, грудь становится колесом (грудиной стремимся ввысь).

Будьте осторожны. Не переусердствуйте!

Упражнение № 3

Позвоночник прямой. Поясница неподвижна. Руки согнуты в локтях. Одно плечо поднимаем, другое — опускаем (как чаши весов с разным грузом), голова наклоняется в сторону вниз идущего плеча. В верхне-грудном отделе позвоночника чувствуем приятное напряжение и растяжение.

Не меняя положения, чередуем напряжение с легким расслаблением и с каждым разом стараемся чуть больше изогнуть позвоночник. Никаких наклонов! Следите за этим.

То же самое выполняем в другом направлении. Вы дышите?! Хорошо! Дыхание не задерживайте!

Какую черту характера Вы формируете этим упражнением?

Идем дальше.

Упражнение № 4

Позвоночник прямой, таз или копчик подаем вперед и фиксируем его в этом положении.

Голова неподвижна, руки вдоль туловища.

Опуская плечи, тянемся руками в пол. Чувствуем напряжение в верхне-грудном отделе позвоночника и с каждым повтором после незначительного расслабления добавляем небольшое усилие.

Представьте, как будто Вам на плечи положили тяжелый мешок. Позвоночник под его весом становится как сжатая пружина. Держим, держим этот груз, добавляем усилие, помогите себе движением плеч вниз.

Просмотрите мысленно весь позвоночник сверху донизу и равномерно распределите нагрузку.

Следите за тем, чтобы нагрузка не была чрезмерной.

Теперь сбрасываем мешок. Ощущение легкости, полета.

Плечи поднимаем до упора, макушкой тянемся к потолку, позвоночник растягивается.

Несколько раз чередуем движение плечами вверх с легким расслаблением.

Представляем, как все позвонки расправляются и встают на свои места.

Какие у Вас мысли в голове, а? Помните? Что тренируется, то развивается! И не только в теле, но и в душе.

Упражнение № 5

Выполняем круговые движения плечами, объединяя при этом предыдущие упражнения. Плечевые суставы вращаем сначала вперед. А затем то же самое проделываем в обратную сторону.

Активно работает верхняя часть позвоночника.

Упражнение № 6

Внимание! Позвоночник — это ось поворота.

Ноги на ширине плеч, стопы «приклеены» к полу параллельно друг другу (носки слегка направлены внутрь), кисти рук на плечах, локти разведены в стороны, смотрим прямо перед собой. Последовательно поворачиваем глаза, голову, плечи, грудь. Живот, бедра, ноги неподвижны.

Правый локоть уходит вправо и тянет за собой левую руку. Если живот и бедра следуют за движением вправо — это ошибка. Постарайтесь, не меняя позы, вернуть их в исходное положение.

Напряжение возникает в плечевом поясе и верхне-грудном отделе позвоночника. После того как дошли до упора, стараемся повернуться еще дальше.

Совершаем несколько пружинящих движений с минимальной амплитудой, т. е. каждый раз создаем дополнительное напряжение, расслабление. За счет нового усилия стремимся увеличить угол поворота.

Внимание! Напряжение выполняем на медленном выдохе!

Аналогично выполняем упражнение влево. Техническую сторону упражнения освоили? А теперь вложите суть. Отлично!

Нижне-грудной отдел позвоночника

Упражнение № 1

Работаем так же, как в упражнении № 1 для верхне-грудного отдела. Но прорабатываем позвоночник от шеи до поясницы.

Копчик подаем вперед и фиксируем это положение, т. е. таз неподвижен.

Руками как будто обхватываем что-то большое и круглое.

Голову наклоняем вниз.

Позвоночник от основания черепа до поясницы прогибается дугой.

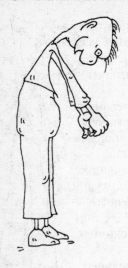

Добавьте напряжения.

Слегка отпустите и снова добавьте напряжение.

Проверьте! Никаких наклонов! Будьте внимательны.

В этом положении подвигайте руками, почувствуйте, как играют, перекатываются мышцы спины.

Упражнение № 2

Движение, обратное предыдущему.

Макушкой тянемся вверх и слегка назад, но голову не запрокидываем. Руки развернуты ладонями вверх и отведены назад. Лопатки сводим. В пояснице не прогибаемся!

Упражнение № 3

Правую руку сгибаем за головой, локоть в потолок, взгляд тоже направляем в потолок. Левое плечо вниз.

Растягиваем правый бок, выполняя чередование напряжения с незначительным расслаблением. Амплитуда колебаний небольшая. Позвоночник принимает форму дуги. Наклонов нет! Меняем руку. Делаем то же самое несколько раз вправо.

Упражнение № 4

Плечами делаем медленные движения по кругу с максимальной амплитудой. В движении принимают участие не только плечи, но и голова и весь позвоночник до копчика. Разучим это упражнение.

Стоим ровно, ноги шире плеч, колени слегка согнуты.

Голова прямо, смотрим перед собой, плечи поднимаем к ушам.

Голову наклоняем вниз, а плечи направляем навстречу друг другу. Позвоночник принимает форму дуги. Будьте внимательны, это не наклон!

Плечи постепенно идут вниз, голову выравниваем.

Плечи — назад, голова осторожно отклоняется назад, позвоночник выгибается вперед.

А теперь объединим все эти движения в одно и распределим нагрузку по всему позвоночнику до копчика.

Зрительно вспомните, как вращаются колеса паровоза?

Выполняем упражнение несколько раз вперед, а затем в противоположную сторону (назад) делаем аналогично.

Упражнение № 5

Корпус прямой, ноги на ширине плеч. Копчик подаем вперед. Положение поясничного отдела фиксируем. Голову держим прямо. Кулаки над поясницей — в области почек. Стараемся как можно ближе свести локти. Для этого выполняем несколько пружинящих движений локтями навстречу друг другу. Позвоночник выгибается вперед, как будто от затылка до копчика натягиваем тетеву лука (локти — стрелы).

Аналогично упражнение делаем вперед, только теперь колени слегка согнуты, и, выгибая позвоночник, стараемся носом дотянуться до коленей.

Позвоночник выгибается, как лук. Следите за тем, чтобы наклонов в пояснице не было!

Упражнение № 6

Ноги шире плеч, стопы «приклеены» к полу параллельно друг другу, кисти рук на плечах, локти разведены в стороны, таз и бедра зафиксированы, смотрим прямо перед собой.

Уводим глаза, затем плавно и последовательно поворачиваем голову, плечевой пояс, грудь, живот вправо. Скручиваем верхнюю часть позвоночника от плеч до того места, где теоретически должна быть талия.

В этом положении выполняем несколько пружинящих движений так, что каждое следующее усилие должно привести к небольшому увеличению угла поворота. Проверьте: таз, бедра, стопы должны оставаться неподвижными! В другую сторону — аналогично.

Напоминаю: позвоночник — это ось поворота.

Пояснично-крестцовый отдел позвоночника

В результате работы с этим отделом позвоночника улучшается состояние мочеполовой системы, уменьшается застой крови в органах малого таза, снимается боль при радикулите, ишиасе и других заболеваниях и восстанавливается сексуальность.

Внимание!

Если у Вас есть грыжи в пояснично-крестцовой области позвоночника, то все упражнения выполняем очень осторожно, с минимальной амплитудой!

Нагрузку распределяйте, пожалуйста, равномерно по всему позвоночнику.

Упражнение № 1

Ноги на ширине плеч, полусогнуты в коленях, таз — вперед, верхняя часть туловища неподвижна.

Копчиком тянемся снизу вверх, пытаясь **лобком** дотянуться до лба (не наоборот!), при этом возникающее напряжение чередуем с легким расслаблением.

Проделываем это несколько раз. Следите за тем, чтобы не было наклонов! Позвоночник прогибается назад дугой.

Упражнение № 2

Копчик и таз назад, ноги на ширине плеч, слегка согнуты в коленях, носки чуть повернуты внутрь, верхняя часть туловища неподвижна. Голова ровно!

Копчиком тянемся к затылку. Делаем несколько пружинящих движений, чередуя напряжение и расслабление. Ощущения возникают в пояснично-крестцовой зоне. Возникающую тяжесть снимаем упражнением № 1.

Упражнение № 3

Ноги на ширине плеч, колени можно слегка согнуть. Корпус прямой, наклонен вперед примерно под углом 45°.

Стараясь **копчиком** дотянуться до затылка (не наоборот!), прогибаемся в пояснице.

Голову не запрокидываем. Делаем 8—10 таких движений. Затем в этом положении несколько раз переносим вес тела с одной ноги на другую.

Напряжение в копчике снимаем упражнением № 1.

Упражнение № 4

Колени полусогнуты, прямой корпус слегка отклонен назад. Голова прямо!

Копчиком устремляемся к затылку. При этом попочку откидываем назад, пузо уходит вперед.

Внутренним взором проходим по всему позвоночнику. Если находим участок, где напряжение чересчур сильное, то оттуда перебрасываем силу, равномерно распределяя ее по всему позвоночному столбу.

В этом положении опускаемся все ниже и ниже, попеременно перенося вес тела с одной ноги на другую. Повторяем упражнение несколько раз. Снимаем напряжение в пояснице.

Упражнение № 5

Круговые движения бедрами сначала 8—10 раз в одну, затем столько же в другую сторону. Верхняя часть корпуса неподвижна.

Упражнение № 6

Корпус прямой, бедро перемещаем вправо и вперед, т. е. вес тела переносим вправо. Это исходное положение.

Делаем несколько пружинящих движений бедром в сторону, как бы проталкивая его дальше вправо.

Затем исходное положение фиксируем и растягиваем левый бок: левая рука вытянута вертикально вверх (в крайнем случае можно ладонь пристроить на затылке), корпус наклоняем вправо. После этого, не меняя наклона, вес тела переносим на левую ногу и еще больше растягиваем левый бок.

Аналогично выполняем упражнение левым бедром и растягиваем правый бок: тянемся ладонью к потолку и делаем легкий наклон влево.

Упражнение № 7

Ноги на ширине плеч (носки чуть-чуть повернуты внутрь), правая рука направлена вертикально вверх, левая опушена. Ладонью стремимся коснуться потолка. С каждым разом все больше и больше растягиваем и слегка прогибаем позвоночник.

Те же движения повторяем левой рукой.

Упражнение № 8

Расслабляем все тело, проводим массаж капилляров. Последовательно встряхиваем мышцы лица, шеи, рук, груди, живота, ягодиц, бедер, голеней.

И в обратном порядке. Представьте, как это делает щенок, отряхиваясь после купания. А теперь можно отдохнуть и подышать, как мы делали перед началом комплекса упражнений на позвоночник.

Скрутки для всего позвоночника

Напомню: позвоночник — ось для всех движений. Голова находится на одной линии с позвоночником! Нагрузку распределяйте равномерно по всему позвоночному столбу. Движения плавные, болевых ощущений не допускайте! Дыхание не задерживайте!!!

Упражнение № 1

Ноги шире плеч, стопы «приклеены» к полу параллельно друг другу. Колени чуть согнуты, руки на надплечьях.

Начинаем плавный, медленный, последовательный поворот корпуса до отказа вправо. Глаза, голова, плечи, грудь, живот, бедра, таз, ноги, — все, кроме стоп. Это исходное положение.

Затем добавляем усилие, создаем напряжение, разворачиваемся еще дальше. Легкое расслабление и снова напряжение, и так несколько раз. При каждом напряжении делаем медленный выдох. После чего возвращаемся в исходное положение.

Внимание!

При появлении боли уменьшите, пожалуйста, нагрузку!

Упражнение № 2

Ноги шире плеч, стопы «приклеены» к полу параллельно друг другу, корпус наклонен вперед под углом 45°, спина прямая, руки на надплечьях.

Начинаем поворот туловища вокруг неподвижного позвоночника вправо: глаза, голова, шея, плечи, грудь разворачиваются к потолку, при этом локоть правой руки «смотрит» вверх. Чередование напряжения и легкого расслабления позволяет постепенно увеличить угол поворота. Выполнив несколько таких чередований, плавно и медленно возвращаемся в исходное положение. Только после этого Вы можете выпрямить корпус!

Так же делаем упражнение влево.

Упражнение № 3

Ноги шире плеч, стопы «приклеены» к полу параллельно друг другу. Спина прямая, отклонена назад, голова на одной линии с позвоночником, подбородок направлен к груди, руки на надплечьях.

Упражнение выполняется аналогично предыдущему, но при повороте корпуса вправо ведущий локоть устремляется вниз, а глаза смотрят через плечо на левую пятку. При выполнении скрутки с наклоном назад в левую сторону смотрим через плечо на правую пятку.

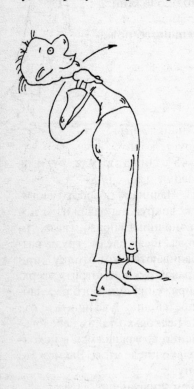

Упражнение № 4

Ноги шире плеч, стопы «приклеены» к полу параллельно друг другу. Корпус наклонен строго вправо (**наклоны вперед—назад недопустимы!!!**), спина ровная.

Голова на одной линии с позвоночником.

Правый локоть является ведущим и движется назад и вверх. При этом взгляд уводим вправо, голова, плечи, грудь поворачиваются вокруг позвоночника оси и разворачиваются к потолку. Подбородок опущен.

Следите за сохранением наклона туловища вправо!

Но это еще не все!

Не меняя положения туловища, раскручиваемся влево в обратной последовательности.

При этом левый локоть становится ведущим, он «идет» вверх, назад и вниз, а правый, соответственно, вверх. Смотрим через левое плечо на правую пятку.

Чтобы вернуться в исходное положение, совершаем обратный поворот туловища вправо. В бараний рог не закрутились? Молодцы!

Упражнение № 5

Чтобы правильно выполнить это упражнение, необходимо в описании предыдущей скрутки везде поменять слово «право» на «лево» и наоборот. Будьте, пожалуйста, внимательны и осторожны.

Если Вы все-таки не уверены, что делаете упражнение правильно, то возьмите какой-нибудь дорогой и хрупкий предмет и выполните скрутку около стены, прижимая и удерживая этот предмет головой.

Ну ка-а-к?! Ничего не разбилось?

Очень хорошо. Значит, Вы все сделали правильно.

Если с первого раза не получилось, тогда предпринимайте попытку до тех пор, пока не научитесь.

И еще... Эти упражнения можно выполнять с палкой на плечах, но не из-под палки!

Упражнение № 6

Сделайте несколько спокойных глубоких вдохов и выдохов, как мы это делали перед началом упражнений на позвоночник.

Разминка окончена.

Вы довольны своей работой? Как Ваш внутренний настрой? Хороший?! Прекрасно! Теперь в течение дня, удерживая этот настрой, наблюдайте за собой со стороны. Ах, как Вы изменились, как похорошели!!!

КОМПЛЕКС ОБЯЗАТЕЛЬНЫХ УПРАЖНЕНИЙ

Напоминаю, что все упражнения выполняются без очков!

Как стать влюбленным марсианином с глазами на стебельках?

Это упражнение можно выполнять как сидя, так и стоя у окна. Сразу решите для себя, как Вы будете это делать.

На стекло, чуть ниже уровня глаз, наклейте маленькую марку или картинку, размером 3 × 3 см или 4 × 4 см. Рисунок должен быть веселый, четко нарисованный и лучше всего в зеленых тонах. Зеленый цвет целебен для глаз. Как можно больше смотрите на живую зелень.

За окном вдали выберите предмет с расплывчатыми очертаниями.

Внимание!

По ходу восстановления зрения объект меняем, но всегда выбираем его на таком расстоянии, чтобы он был виден нечетко. А вот расстояние между картинкой на окне и глазами (20—25 см) не меняем!!!

И начинаем тренировать аппарат аккомодации глаз. Продолжительность работы 10 минут. Не думайте о времени!

Лучше всего поставить легкую, спокойную, приятную музыку.

В течение 3—5 секунд рассматриваем рисунок на картинке, а затем взгляд переводим на выбранный объект за окном, причем смотрим на него поверх приклеенной на стекло марки. Затем также 3—5 секунд разглядываем этот объект и снова плавно переводим взгляд на картинку.

Следите за тем, чтобы глаза не вылезли из орбит! Если напряжение возникло, чтобы расслабить мышцы, легко-легко поморгайте, похлопайте ресницами по щекам!

Это упражнение следует выполнять 2 раза в день в светлое время суток, но промежуток времени между подходами должен составлять не менее двух часов.

Настрой есть? Отлично! Держите-держите его как можно дольше!!!

Умеете ли Вы смотреть на солнце? Пожалуйста, без шуток! Вопрос О-ОЧЕНЬ серьезный!!!

Еще с древних времен на Востоке люди умели лечить любое глазное заболевание с помощью солнца. Но как?

1. Полезно смотреть на солнце двумя глазами до слез, не моргая, но при строгом соблюдении определенных правил.

Запомните! Смотреть на солнце двумя глазами можно только на восходе или на закате, когда на линии горизонта видна ТОЛЬКО ПОЛОВИНА ДИСКА — это особенно важно! Если оно уже встало над домом или еще не опустилось наполовину за горизонт, то напрямую глядеть на него опасно. Очень опасно смотреть на него, когда оно в зените!

Ни в коем случае нельзя смотреть на солнце неподвижно, уставившись в одну точку.

Первую неделю упражнение выполняется каждый день по одной минуте. В течение второй недели продолжительность упражнения постепенно доводим до двух минут. В дальнейшем время его выполнения увеличиваем до 10 минут, но не больше того.

Все птицы, оказывается, живут и умирают со стопроцентным зрением потому, что они первыми встречают рассвет, а днем на солнце не смотрят. В природе все гармонично.

2. Встаньте в тень так, чтобы одна половина лица оказалась в тени, а другая на освещенном солнцем участке. Для устойчивости расставьте ноги шире плеч.

Начните делать легкие повороты головой, чтобы лицо оказывалось то на солнце, а то в тени.

Дыхание спокойное. При повороте головы влево Вы мысленно говорите: «Солнце приходит!» При повороте головы вправо Вы мысленно говорите: «Солнце уходит!» Это очень важно, чтобы не «цепляться» взглядом за солнце, потому что даже глазами, закрытыми веками нельзя «смотреть» на яркое солнце.

Продолжительность упражнения увеличивайте до 10 минут постепенно, начиная с одной.

После этого обязательно выполняем «Начихатто-Наплеватто» (с. 214). Расслабление выполняем как минимум в два раза дольше, чем делали само упражнение.

Работа обязательно должна чередоваться с продолжительным отдыхом (чем дольше, тем лучше).

3. Теперь оставим эту тень и выйдем на солнце. Упражнение можно выполнять в течение дня до 11 часов и после 15 часов. Ноги поставьте удобно и начните делать легкие повороты корпуса на месте вокруг оси.

Очки не забыли снять? Глаза закрыты. Голова слегка приподнята вверх, так, чтобы солнце светило Вам прямо под брови на веки.

Совершаем большие повороты туловища вправо, при этом левую пятку легко отрываем от земли. Голова следует за движениями корпуса.

Аналогично влево отрываем правую пятку. Сильно не раскачивайтесь. Это упражнение должно вызвать расслабление во всем теле.

Во время поворотов мысленно говорите фразы: «Солнце проходит мимо меня влево, затем вправо, снова влево, и так снова и снова, но все время в направлении, противоположном моему повороту».

Помните, в конце предыдущего упражнения мы объясняли, для чего нужно так думать во время работы?

Опять расслабление «Начихатто-Наплеватто».

4. Встаньте на освещенный солнцем участок. Ноги поставьте устойчиво. Один глаз накройте ладонью (он остается открытым). Голову наклоните вниз. Продолжая совершать большие повороты корпуса, рассматривайте землю вокруг ног, при этом быстро-быстро, как можно быстрее, моргая. Под ладонью глаз тоже моргает.

Теперь лицо подставляем солнцу, и точно так же выполняем повороты, часто-часто моргая обоими глазами. Один глаз по-прежнему прикрыт ладонью. Затем с другим глазом аналогично.

Особое примечание: если солнце в зените, то выполнять упражнение нельзя!

Расслабление «Начихатто-Наплеватто».

Умеете ли Вы ДЫШАТЬ ГЛАЗАМИ?

Прежде чем Вы приступите к упражнению, внимательно прочитайте его описание.

Напяльте Образ молодости!

Сядьте на стул, устройтесь поудобнее. Руки на коленях, спина прямая. Все тело и мышцы лица расслаблены. В теле, в душе покой. Дышим только носом. А теперь приступаем.

Понаблюдайте, как Вы дышите через нос. На вдохе в носу и носоглотке ощущается прохлада, на выдохе — тепло.

Во всяком случае, вдыхаемый воздух прохладнее, чем тот, который мы выдыхаем. Вот это незначительное колебание температуры нам надо научиться улавливать глазами.

Теперь представьте, что Вы делаете вдох и выдох через нос, а внимание переносите в область глаз. Попытайтесь глазами уловить движение воздуха, колебание температуры. Можно выполнять это упражнение открытыми, можно закрытыми глазами, делайте это так, как Вам легче.

Такое дыхание дает отличные результаты, особенно когда Вы представляете свои глаза здоровыми.

На вдохе глаза прозревают, начинают четче видеть, а с каждым выдохом пелена уходит, исчезают «мушки», снимается напряжение, усталость, то есть все, что причиняет дискомфорт Вашим глазам.

Итак, запомните: ощущение прохлады (на вдохе) дарит глазам все лучшее, а ощущение тепла (на выдохе) уносит все, что им мешает. «Дышать» глазами можно сколько угодно и где угодно. Так что «дышите» на здоровье!

Как факир Вася Иванов перемещает ощущения?

Будьте осторожны, мыслью перемещая ощущения!

Помните, как мы перед лицом держали пять пальцев и без отрыва смотрели на один из них? Этот палец моментально начинал «откликаться», отличаться более высоким уровнем чувствительности. Он становился теплее, появлялась тяжесть, покалывание.

Почему? Потому что от нашего внимания сосуды расширились или сузились. Иначе говоря, с этим пальцем мы установили более высокий контакт, связь типа:

Сокол, Сокол! Это Беркут. Ты меня слышишь?

Если ответа нет, скажите еще громче:

Сокол, Сокол... твою мать! Ты меня слышишь?!

И рано или поздно Сокол ответит:

Беркут, Беркут, я Сокол, слышу тебя хорошо!!

Абсолютно никакого значения не имеет, куда Вы переносите внимание, механизм установления связи один. Применим он и к глазам.

Особо хочу подчеркнуть лишь то, что фокус внимания имеет ограниченный радиус действия. Вот Вам маленький эксперимент.

Подойдите к зеркалу и посмотрите на грудь. Теперь, не переводя взгляда, периферическим зрением постарайтесь разглядеть лицо. Вопрос: лицо видно так же четко, как и грудь? Нет!

Поле зрения и фокус внимания имеют ограниченный радиус. Поэтому, когда Вы направляете внимание в какую-нибудь зону, именно там происходят изменения, усиливается приток крови, расширяются мелкие сосуды и возникает ощущение тепла или появляется пульсация. Сосуды расширились, и рецепторы проснулись.

Когда Вы чувствуете прохладу, это показатель того, что сосуды сузились. Прохладу так же необходимо вызывать, как и тепло. Она фиксирует результат.

Мы будем мысленно направлять ощущения тепла, покалывания, холода от затылка к глазным яблокам и обратно. Это упражнение не сложное, но с некоторыми тонкостями, обязательными для исполнения. Изучите его хорошенько, прежде чем приступать.

Сядьте удобно, примите «мышечный корсет», закройте глаза. Начнем с ощущения тепла.

Представьте себе, что Вы сидите спиной к солнцу, и его лучи мягко касаются затылка. Затылок приятно нагревается. Продолжаем накапливать тепло.

Внимание!

До ощущения жара ни в коем случае не доводим! Нельзя также, чтобы тепло «разливалось» внутри.

Тепло собираем в комочек в области затылка. Затем «отпускаем», рассеиваем, теряем его.

Еще раз собираем и рассеиваем ощущение тепла. Достаточно сделать так два-три раза.

После этого собираем тепло в комочек и медленно на мысленном уровне начинаем тянуть его по прямой от затылка к глазным яблокам и обратно в затылок.

Внимание! Техника безопасности! Комочек ощущения глазных яблок «не касается»!

Делаем несколько таких проходов в одну и другую сторону. При этом как будто видим мысленным взором движение комочка тепла со стороны затылка.

После того как Вы сделали упражнение с закрытыми глазами, глазки открываем и выполняем его аналогично несколько раз с тем же комочком тепла. Ну как? Освоили?

Если ответ положительный, ТОЛЬКО В ЭТОМ СЛУЧАЕ Вы можете приступить к изучению упражнения с ощущением холода.

Теперь как создать ощущение холода. Держим внимание в области затылка и просто стараемся уловить движение воздуха, легкий сквознячок, и еще дополнительно вызываем чувство легкости.

Ну ка-а-к? Получилось?

Чмок-чмок! Значит, все зависит от Вашего внимания.

Теперь, когда Вы научились улавливать прохладу, собираем в области затылка комочек прохлады и делаем упражнение аналогично предыдущему.

Маленькое дополнение, обязательное для применения. Постарайтесь добавить к ощущению тепла и, соответственно, прохлады покалывание. Как его вызвать?

Вспомните, например, как, попадая с мороза в теплое помещение, начинаете «оттаивать». Что Вы при этом чувствуете? Вспомните эти ощущения, а потом мысленно перенесите их в область затылка и продолжайте работать описанным выше способом.

Теперь переходим ко второй части этого упражнения. Задачу немного усложним. Комочки тепла с покалыванием (холода с покалыванием) будем перемещать по спирали от затылка к глазным яблокам и обратно.

Направление движения произвольное по или против часовой стрелки.

Напомню, все комочки ощущений, которые мы передвигаем от затылка, глазных яблок не касаются!!!

Контрольный вопрос: у Вас получилось упражнение?

Если «да» — так держать!

А если Вы сомневаетесь или говорите, что у Вас получилось слабовато или не получилось вовсе, то скажу одно: во время выполнения упражнений уберите недовольство собой в любой форме проявления!

Такие «неудачи» являются отражением Вашего характера!

Продолжайте тренировку, результат постепенно будет накапливаться. Учитесь чувствовать к себе признательность за все, что бы Вы ни делали. Вот сейчас почешите свое ухо. А теперь даже за это искусственно создайте благодарность в свой адрес!

Счастье складывается из мелочей, из маленьких незначительных радостей. Огромное счастье как кирпич с неба не падает, а кропотливо созидается.

РЕКОМЕНДАЦИИ
для самостоятельной работы

Дорогой читатель! Теперь Вы вооружены знаниями. Осталось — тренироваться до полной адаптации организма к нормальному зрению. Правда при этом необходимо соблюдать все правила по технике безопасности и делать упражнения с внутренним настроем на успех.

Вспомните, как в детстве Вы ждали любимый праздник, считали дни, часы до его наступления! В душе нетерпеливое, трепетное ожидание, истома от предвкушения чего-то светлого и радостного! Вы представляли в ярких красках, как все будет происходить, аж дух захватывало! И до наступления самого торжества много раз проживали его.

А потом при каждом воспоминании как становилось тепло и радостно на душе! Помните?

Создайте внутри такой праздник по собственному желанию!

Опасайтесь выполнять упражнения с неохотой, как бы делая себе одолжение. Так Вы не получите никакой пользы и даже можете навредить себе. Потому что мысли материальны!

Что посеете, то и пожнете!

Утро! Внутри легкость и радость оттого, что наступил новый день, открылись новые возможности сделать много хорошего для себя и окружающих.

На первых порах Вам придется приложить колоссальные усилия к тому, чтобы играть роль счастливого и здорового человека. Вырабатывайте привычку быть счастливым и здоровым. С каждым днем Вам все меньше и меньше придется заставлять себя, потому что постепенно эта роль станет Вашей внутренней сутью.

Что тренируется, то развивается.

Все упражнения делайте по «Октаве» в Образе молодости. Слейтесь с этим образом воедино.

Каждое утро натощак выпивайте стакан горячей кипяченой воды. Представляйте, как эта вода проходит по клеткам и сосудам всего организма, очищая их, делая упругими и эластичными.

Два раза в день утром и вечером принимайте душ, смывайте токсины и шлаки, чтобы предотвратить их повторное всасывание через поры кожи.

После утренних процедур легко перекусите, голодным не занимайтесь. Но знайте меру, не переедайте. Иначе будет трудно выполнять упражнения.

1. Суставная гимнастика с начинкой (с. 246).

Первое время, примерно неделю, на ее выполнение будет уходить около 35 минут. Когда все упражнения освоите хорошо, это время не должно превышать 15—20 минут. Главное — помнить, что 90% своих усилий Вы должны направить на искусственное созидание тех качеств, которые хотите в себе воплотить. Механическое выполнение упражнений — путь в никуда.

2. Упражнение «Как стать влюбленным марсианином с глазами на стебельках?». Два раза в день по 10 минут (с. 287).

3. Упражнения для глаз (с. 234). Можно выполнять несколько раз в течение дня, это очень полезно. Но 1 раз в день 10 минут обязательно! Лучше всего перед началом работы с таблицей (см. приложения 2 и 3).

4. Упражнения на расслабление: «Направление энергии к глазам»; «Начихатто-Наплеватто» (с. 214). Чем чаще, тем лучше, но минимум 10 минут в день. Расслабление способствует более быстрому восстановлению зрения и очень полезно для всей нервной системы.

5. Работа с таблицей — коррекция зрения. Два раза в день утром и во второй половине дня.

Спланируйте работу так, чтобы у Вас была возможность перед коррекцией зрения по таблице выполнить упражнения для глаз и расслабление («Направление энергии к глазам» и «Начихатто-Наплеватто»). Не забудьте вымыть руки! Это серьезно!

Выполните три подхода 3 раза по 30 секунд.

Принимаем «мышечный корсет». Поднимаем настроение, искусственно создаем в душе радостное ожидание результата.

Выполняем первый подход — это первые 1,5 минуты, разложенные на 30 секунд. Работаем двумя глазами. Затем выполняем упражнения на расслабление Начихатто на все наплеватто!!!

Эмоции повышаем до тех пор, пока Вы не заметите в таблице первые «проблески» улучшения зрения. Удерживаем настрой на таком уровне!

Второй подход. Поворачиваемся так, чтобы свет на таблицу падал под другим углом, и продолжаем работать 30 секунд. А затем аналогично еще два раза.

Снова даем глазам и всей нервной системе расслабление и отдых («Начихатто-Наплеватто»).

Последний, третий подход выполняем поочередно каждым глазом по 30 секунд (рабочая строчка при этом для каждого из них выбирается отдельно по общей схеме).

После этого обязательно «Начихатто-Наплеватто»!

И последние 30 секунд снова работаем двумя глазами.

В завершении комплекса делаем упражнение на расслабление и создаем в душе благодарность в свой адрес.

6. Работа с солнцем (с. 288) — каждое утро до 11 часов, максимум 10 минут.

7. Дыхание через глаза (с. 290). Выполняйте так часто, как это возможно. И обязательно совместите его с упражнением на передвижение ощущений тепла, покалывания, холода от затылка до глазных яблок (8).

8. Передвижение ощущений тепла, покалывания, холода от затылка до глазных яблок (с. 291) выполняется **только 2 раза в неделю не более 10 минут.**

Работу по восстановлению зрения можно распределить на весь день, выбирая для занятий удобное время, но при соблюдении техники безопасности, особых условий и других замечаний. Поэтому, прежде чем составлять индивидуальный план занятий, еще раз внимательно прочитайте все упражнения.

И еще маленький совет.

Когда Вы начинаете планировать работу над собой, очень часто появляются, как будто с неба, разные мешающие обстоятельства.

Вы уже знаете, что это происки лени. Обманите ее. Жестко не привязывайте себя ко времени и месту занятий.

Что это значит?

Многие упражнения легко выполнять по ходу, занимаясь домашними делами или в дороге. Так можно с пользой для себя употребить время вынужденного ожидания или пребывания в пути.

Например, упражнения для глаз («Бабочка», «Восьмерка», «Большой круг» и др.) или некоторые упражнения на расслабление можно выполнять на остановке, в транспорте или «на ковре» у начальника (дыхание через глаза и особенно упражнение «Начихатто-Наплеватто»!).

Принимая душ, представляйте себя под водопадом из Образа молодости.

Не нужно искать специального времени и условий, чтобы носить «мышечный корсет», тем более что Вы в нем должны спать! Это, конечно, шутка, но не лишенная доли истины.

В общем, идея понятна, да? Так что действуйте!

Вы же хотите хорошо видеть без «костылей», «унитазов», «гоночного велосипеда» и прочего снаряжения не только по вторникам и субботам с 10 до 18 часов, а всегда, не так ли?!

Поэтому работайте над собой постоянно, меняйтесь сами, и мир вокруг Вас тоже изменится.

С Вами всей душой, автор

В данном издании использованы некоторые упражнения, защищенные патентами в соавторстве с Л. А. Фотиной и описанные в книге: М. Норбеков, Л. Фотина «Дорога в молодость и здоровье», 1995.

ЗАКЛЮЧЕНИЕ

Дорогой собеседник!
Книга закончилась, но путь к самопознанию только начинается. Вы познакомились, а может даже, и освоили лишь первую ступень лестницы, ведущей в мир своих неограниченных возможностей.

Вы решали вопросы, связанные с «геморроем» между ушами, другими словами, проблемы тела. Если Вы успешно преодолели этот рубеж, то оказались на пороге новых открытий себя как Личности. У Вас есть к этому стремление, тяга? Да? Отлично! Все дороги к этому открыты. Но только одно предостережение.

Мы живем в мире зазеркалья. В мире, где фальшь, обман, воровство, подлость, лицемерие, предательство подняты до уровня добра. Где ложные ценности управляют людьми. А честность, порядочность, доброта высмеиваются и чуть ли не вменяются в вину. Но выбор все-таки всегда остается за каждым!

Те люди, которые ради тщеславия, наживы, жажды власти идут на все, свой выбор уже сделали.

Мне всегда смешно и одновременно грустно, когда какая-нибудь Мария Ивановна ведет занятия по йоге, Иван Иваныч объявляет себя специалистом по культуре Востока и читает лекции, а Петр Петрович обучает людей восточным единоборствам.

Такие люди воспринимают во всем, с чем соприкасаются, только внешнюю форму, то, что лежит на поверхности, что более доступно, а суть...

Суть их тоже может быть интересует, но только суть в их понимании. Для глубинного осмысления у них не хватает терпения или духовного опыта, а скорее, того и другого, а вместе с этим, и стремления докопаться до нее. Проще схватить, что ближе лежит, и вперед, размахивая флагом, нести в массы то, что смогли «постичь» своим умом, а не душой.

Не будем осуждать тех людей. В этом проявляется их слабость. Только слабый человек сам не способен ничего создать, а начинает менять, «улучшать» что-то уже существующее.

Не позволяйте обманывать и дальше уводить себя в мир зазеркалья. Учитесь отделять зерна от плевел!

Как Вы думаете, почему Омар Хайям и Фирдоуси считаются мировыми классиками?

Ведь, читая Омара Хайяма, приходишь к мнению, что он вечный «забулдыга» и «бабник». Не так ли?

На самом деле это только внешняя оболочка, за которой большинство людей не видят ничего другого.

Омар Хайям блистательный астрономом, выдающийся математик, великий лекарь, яркий писатель, величайший философ. Он спрятал истину, как сам говорил, за семью печатями и сорока замками, чтобы злобное стадо людей не использовало ее во имя зла.

Расшифровка одного четверостишия Омара Хайяма занимает около 300 машинописных страниц. Вы представляете, какой объем информации заложен в четырех строчках?!

Далеко не каждому дано в этом разобраться! Внешняя форма скрывает истину от случайных людей, не готовых без искажения принять ее, от тех, у кого примитивное мышление, т. е. мышление на уровне желудочно-кишечного тракта.

Точно знаю, мой собеседник, что это к Вам не относится.

Вы прочитали книгу по учебно-оздоровительной системе. На основе ее планируется выпуск серии книг, затрагивающих заболевания, связанные с другими органами и системами организма человека.

Вы пропустили через себя огромный поток информации и тем самым проделали немалую работу над собой. Значит, Вы уже другой человек! Впереди много дорог, но Вы уже знаете — чтобы чего-то добиться, главное — действовать! Тогда в час добрый!

ПРИЛОЖЕНИЕ 1

А вот и готовый список положительных и отрицательных черт характера. Подарок от слушателей курсов! Он, конечно, очень приблизительный и далеко не полный.

Аккуратность
активность
альтруизм
артистичность
бескорыстие
бесстрашие
благородство
вежливость
великодушие
вера
верность
внимательность
воля

выдержка
галантность
гостеприимство
гуманность
дальновидность
доброжелательность
добросовестность
доброта
дружелюбие
естественность
женственность
жизнелюбие
жизнерадостность
заботливость
изобретательность
интеллигентность
искренность
коммуникабельность
кропотливость
любезность
любознательность
мудрость
мужество
наблюдательность
надежность
настойчивость
нежность
независимость
обаятельность
общительность
обязательность
озорство
опрятность
оптимизм
остроумие
отважность

- отзывчивость
  открытость
  понятливость
  постоянство
  правдивость
  приветливость
  принципиальность
  пунктуальность
  работоспособность
  раскованность
  раскрепощенность
  расторопность
  решительность
  романтичность
  самостоятельность
  сдержанность
  сердечность
  серьезность
  собранность
  сострадание
  сочувствие
  спокойствие
  способность быть сильным
  способность мечтать
  способность созидать
  стабильность
  строгость
  тактичность
  творчество
  терпимость
  точность
  трудолюбие
  увлеченность
  удачливость
  удовлетворенность
  уживчивость

улыбчивость
умение быть благодарным
умение любить
умение молчать
умение понимать
умение прощать
умение слушать
умение фантазировать
умеренность
упорство
уравновешенность
усидчивость
уступчивость
утонченность
хозяйственность
целеустремленность
целостность
честность
чистоплотность
чувственность
чувствительность
чувство долга
чувство собственного достоинства
чувство юмора
щедрость
элегантность
эмоциональность
энергичность
энтузиазм

апатия
безалаберность
безволие
безответственность
безразличие
безынициативность

болтливость
ворчливость
вредность
вспыльчивость
грубость
жадность
завистливость
зажатость
закомплексованность
замкнутость
занудство
злобность
истеричность
кровожадность
лень
лживость
лицемерие
любопытство
медлительность
мелочность
мнительность
настырность
нахальство
небрежность
невежливость
невнимательность
невыдержанность
недоброжелательность
недовольство
незнание меры
ненависть
необщительность
непоследовательность
нервозность

нерешительность
неряшливость
нетерпимость
нетребовательность
неуверенность
неусидчивость
обжорство
обидчивость
ограниченность
озлобленность
отсталость
пассивность
пессимизм
подозрительность
придирчивость
равнодушие
раздражительность
рассеянность
расточительность
расхлябанность
ревность
сентиментальность
скрытность
скупость
слабость
страх
суетливость
трусость
тупость
тщеславие
угрюмость
упрямство
эгоизм
эгоцентризм

Ка-а-к? У Вас возникло желание воспользоваться этим списком?

Поздравляю! Вы в очередной раз попались. Тестирование на «вшивость характера» продолжается.

Опять побеждает лень?!

Понимаете?! Готовым списком, каким бы он распрекрасным ни был, пользоваться ни в коем случае нельзя. Он для Вас является мертвым.

Если Вы сами внутренне не поработали, не заглянули в потайные уголки своей души, значит, Вы не поставили себе цель, каким человеком стать. И любые Ваши шаги будут скатываться до автоматизма.

А Вы уже знаете, что любое действие может принести пользу, не дать ничего или нанести вред. Чего Вы хотите для себя? Выбирайте.

Запомните! Ленивый человек всегда упускает что-то главное в жизни и всегда теряет!

ПРИЛОЖЕНИЯ 2 и 3

Дорогой читатель! Описание коррекции зрения дано для таблицы из Приложения 2.

В Приложении 3 предлагается перевернутая таблица. Приемы работы с ней аналогичны описанным в книге. Восстанавливая по ней зрение, Вам будет легче создавать настрой, потому что Вы будете двигаться от строчки к строчке вверх до самой вершины.

Желаю Вам успешного покорения!

В И Ж У

очень хорошо!
познаю себя
я всё могу,
у меня всё
получается!

настроение великолепное!
вижу знаки, буквы и слова!

четко-четко вижу всё, на что смотрю!

работаю над собой и познаю свои возможности!

за что берусь – всё делаю прекрасно!

Благодарю и хвалю себя! Я умею обходиться без очков! У меня все получилось!

Елки-палки! Ведь это я читаю без очков! Гениально!

Приложение 3

Ёлки-палки! Ведь это я читаю без очков! Гениально!

Благодарю и хвалю себя! Я умею обходиться без очков! У меня всё получилось!

за что берусь – всё делаю прекрасно!

работаю над собой и познаю свои возможности!

четко-четко вижу всё, на что смотрю!

вижу знаки, буквы и слова!

настроение великолепное!

у меня всё
получается!

я всё могу,
познаю себя
очень хорошо!

В И Ж У

ОГЛАВЛЕНИЕ

Вы сейчас похожи на нерадивого школьника, который, не успев открыть задачник, заглядывает в ответ!

Хотите узнать содержание книги? Тогда читайте ее целиком. Из перечня глав Вы все равно ничего не поймете. Вот именно из-за этого я попросил редактора не составлять оглавление. Я не хочу, чтобы между нами сразу возникло непонимание. Читайте книгу, работайте над собой, добивайтесь успехов. А Ваши достижения будут моими победами!

Успехов Вам!

ОТЗЫВ О КНИГЕ

*С*вои отзывы, мысли и предложения Вы можете отправить по адресу:

ИЗДАТЕЛЬСКИЙ ДОМ «ВЕСЬ»
197101, Санкт-Петербург, ул. Мира, д. 6.
E-mail: vespeter@mail.wplus.net

С пометкой «Норбеков. Опыт дурака»

Уважаемый читатель!

Практическое обучение Вы можете пройти в центрах, работающих по системе академика М. С. Норбекова.

в Москве

Институт человека	(095)	274-03-80
		275-94-61
		275-98-00

в Санкт-Петербурге

Академия Суфийской Медицины и Психологии	(812)	329-00-78
Федерация Сам Чон До	(812)	112-88-35
«Институт человека» г. Москва Санкт-Петербургский центр	(812)	352-32-82 469-46-62

в Самаре

	(8462)	52-66-25

в Екатеринбурге

Центр ускоренного обучения по системе академика М. С. Норбекова	(3432)	61-18-55

в Челябинске

Центр психосоматической саморегуляции	(3512)	42-04-77

в Ташкенте

Центр Дорушшифо	(10-998-71)	173-68-42

в Новороссийске

Басхакова Жанна Александровна	(8617)	24-24-94

в Воронеже

Гавриленко Нина Александровна	(0732)	77-89-88

в Латвии г. Рига

Астахова Равия Сабитовна	(0132)	2-418-157

в Туле

Свинаренко Лидия Аблаевна	(0872)	36-85-69

в Нижнем Новгороде

Колосов Алексей Николаевич	(8-83-12)	98-04-61
		36-20-08

в Балашове

Фролова Тамара Павловна	(4545)	3-15-17

в Нижневартовске

Положенцева Светлана Ивановна	(3466)	27-30-86

в Киеве

Головатюк Нина Петровна	(044)	547-51-92

в Ульяновске

	(8422)	63-28-36

в Тольятти

	(8482)	30-57-81

Обращаясь в любой учебно-оздоровительный Центр, работающий по системе академика М. С. Норбекова, убедитесь в том, что преподаватели имеют личное письменное подтверждение академика М. С. Норбекова о праве работы по авторской системе.

Б Л А Н К - З А К А З «ВЕСЬ» — КНИГА

Обведите порядковый номер заказываемой книги.
Пришлите бланк-заказ по адресу: ЗАО ИД «ВЕСЬ»
197101, Санкт-Петербург, ул. Мира, д. 6., тел.: 325-29-99

Книги вам будут высланы наложенным платежом

Ф. И. О.: _____

Ваш адрес: _____

№	АВТОР	НАИМЕНОВАНИЕ	ЦЕНА, РУБ
		СЕРИЯ «ЦЕЛЕБНЫЕ...»	
1		Целебные ароматы	67,20
2		Целебные напитки	67,20
		КНИГИ-КАЛЕНДАРИ	
3	Паунгер И., Соколов А. Г.	Лунный календарь здоровья 2002 г.	21,00
4	Паунгер И., Соколов А. Г.	Оздоровительные советы для всей семьи на 2002 г.	19,60
5	Паунгер И., Соколов А. Г.	Секс и здоровье. Советы на каждый день на 2002 г.	26,60
6	Семенова А.	365 советов о здоровье для женщин на 2002 г.	19,60
		«365 СОВЕТОВ»	
7		365. Лучшие игры для детей от 2 до 7	23,80
8	Прозоров А.	365. Советы с «перцем» от автогуру	23,80
9	Семенова А.	365. Рецепты женской красоты	23,80
		СЕРИЯ «ЛУННЫЕ РИТМЫ»	
10	Шамрина Е.	Земное эхо фаз Луны	35,00
11	Паунггер И. Поппе Т.	Все в нужный момент. Использование лунного календаря в повседневной жизни	22,40
12	Паунггер И., Поппе Т.	Собственными силами. Профилактика и оздоровление в гармонии с природными и лунными ритмами	32,20
		СЕРИЯ «БЕСЕДЫ С ВРАЧОМ»	
13	Васильева Л. П.	Гипертоническая болезнь	16,80
14	Лавренова Г. В.	Освежи дыхание	16,80
15	Онипко В. Д.	Книга для больных сахарным диабетом	16,80
16	Ралко А. В.	Заболевания суставов	16,80
		МИРОВАЯ КУХНЯ	
17		Испанская кухня	65,80
18		Итальянская кухня	65,80
19		Французская кухня	65,80

КАЧЕСТВЕННЫЕ КНИГИ О ЗДОРОВЬЕ

СЕРИЯ «ПОЛНАЯ ЭНЦИКЛОПЕДИЯ»

80		Безопасность жизни человека	133,00
81		Витамины и минеральные вещества	126,00
82		Гомеопатия	133,00
83		Здоровье детей	119,00
84		Здоровье женщины	126,00
85		Здоровье мужчины	126,00
86	Дрибноход. Ю. Ю.	Искусство исцеления кожи	119,00
87		Классический массаж	119,00
88	Лифляндский В. Г. Сушанский А. Г.	Овощи в лечении, косметике, кулинарии	119,00
89	Лифляндский В. Г. Сушанский А. Г.	Фрукты в лечении, косметике, кулинарии	119,00
90		Очищение организма человека	126,00
91	Малахов Г. П.	Полная энциклопедия здоровья	126,00
92		Практический Фен-Шуй для начинающих	126,00
93		Практический Фен-Шуй для профессионалов	126,00
94		Биологически активные добавки	133,00
95		Пряности, специи, эфирные масла	119,00

СЕРИЯ «ПОЛНЫЙ СПРАВОЧНИК»

96	Дрибноход Ю. Ю.	Пособие для косметолога	77,00
97	Дрибноход Ю. Ю.	Здоровье вашей кожи	35,00
98		Витамины и минеральные вещества	35,00
99		Здоровье женщины	35,00
100		Очищение почек	25,20
101		Очищение кишечника	25,20
102		Очищение кожи	25,20

СЕРИЯ «ЦЕЛИТЕЛЬНЫЕ СИЛЫ»

103	Елисеева О. И.	Рак: диагностика, профилактика	28,00
104	Елисеева О. И.	Практика очищения и восстановления организма	23,80
105	Малахов Г. П.	т. 1. Очищение организма и правильное питание	16,80
106	Малахов Г. П.	т. 2. Голодание	16,80
107	Малахов Г. П.	т. 3. Биоритмология и уринотерапия	16,80
108	Малахов Г. П.	т. 4. Укрепление здоровья в пожилом возрасте	16,80

ВНЕСЕРИЙНЫЕ КНИГИ

109	Жолондз М. Я.	Инфаркт и стенокардия начинаются... в легких	35,00
110	Капица Г.	Анатомия биоэнергетического обмена	17,50

Мирзакарим Санакулович НОРБЕКОВ
ОПЫТ ДУРАКА,
или
КЛЮЧ К ПРОЗРЕНИЮ.
Как избавиться от очков

Генеральный директор *П. П. Лисовский*
Главный редактор *А. Н. Серов*
Подготовка оригинал-макета *И. В. Кирсанова*
Корректор *И. А. Ростовцева*
Ответственный за выпуск *Н. В. Торопцева*

ИД № 02715 от 30 августа 2000 г.
Подписано в печать с готовых диапозитивов 01.02.2002.
Формат 84×108^1/$_{32}$. Объем 10 печ. л. Доп. тираж 40 000 экз. Заказ № 859.
Налоговая льгота —общероссийский классификатор продукции
ОК–005-93, том 2; 953710 —литература по здравоохранению, медицинским наукам.

ИД «ВЕСЬ»
197101, Санкт-Петербург, ул. Мира, д. 6.
Тел.: (812) 325-29-99.
E-mail: vespeter@mail.wplus.net

Заказы «Книга-почтой» направлять на адрес ИД «ВЕСЬ»

Московское представительство:
ООО «Атберг 98».
Тел./факс: (095) 973-0086.
E-mail: atberg@aha.ru
http://www.atberg.aha.ru

Книжные Internet-магазины:
http://www.top-kniga.ru (Новосибирск)

Оптовая торговля:

Москва:	«Фирма „Столица-Сервис"»	(095) 917-8832, 916-1882
Екатеринбург:	ООО «Валео Книга»	(3432) 42-0775, 42-5600
Новосибирск:	ООО «ТОП-Книга»	(3832) 36-1026
Ростов-на-Дону:	ООО «Фаэтон Пресс»	(8632) 65-6164
Челябинск:	ООО «Интерсервис LTD»	(3512) 21-2652
Хабаровск:	«Книжный мир»	(4212) 32-8250, 32-8551
Владивосток:	ЧП Мальцев	(4232) 51-5325
Иркутск:	ООО «Продалить»	(3952) 51-2331, 59-1380
Мурманск:	ОАО «Медтехфарм»	(8152) 33-5432
Киев:	Книжный Дом «Орфей»	(044) 418-8473, 464-4970
		http://www.orfey.kiev.ua
Уфа:	ПКФ «Азия»	(3472) 50-3900
		E-mail: asiaufa@ufanet.ru
Омск:	МУП «Омский книготорг. дом»	(3812) 24-0409

Отпечатано с готовых диапозитивов
в ГИПК «Лениздат» (типография им. Володарского)
Министерства РФ по делам печати,
телерадиовещания и средств массовых коммуникаций.
191023, Санкт-Петербург, наб. р. Фонтанки, 59.